✔ KU-144-745

DISCARDED

53419

0136366335

JAROSŁAW ZANIEWSKI

Madeleine

i czterech jeźdźców apokalipsy

novae res
WYDAWNICTWO INNOWACYJNE

Dziękuję mojej mamie Matyldzie Czapkowskiej za trud wychowania i za to, że zawsze wierzyła we mnie.

Dziękuję również mojemu przyjacielowi i kuzynowi Von Ottowi Jerzemu Szkudlarkowi za to, że zawsze wierzył w moje Marzenie i powtarzał mi, że warto Marzyć, lecz by Marzenia się spełniły, trzeba w to włożyć najpierw dużo pracy.

Dziękuję także moim przyjaciołom Magdzie oraz Jarosławowi Schramelowi za wsparcie.

WARWICKSHIRE LIBRARY & INFORMATION SERVICE	
0136366335	BFBA053419
BOOKS ASIA	30/05/2013
POL 891.85 ZAN	£13.80
NUN	www.booksasia.co.uk

Otoczyła go czarna pustka. Nagle usłyszał cichy, odrażający głos mówiący w kółko: „Twój koniec nadchodzi". Z czasem głos brzmiał coraz głośniej, jakby ktoś się zbliżał. Był przerażony; nie miał pojęcia, gdzie jest i co się z nim za chwilę stanie. Wiedział tylko, że ten głos jest już tak blisko, że zaraz go dopadnie... i nagle zobaczył postać w czarnej płachcie. Twarz miała zamazaną, ale czuł, że jest zła i odrażająca. Gdy już się miała na niego rzucić, zaczął krzyczeć.

– Gabriel, obudź się! Co ci jest? Co się stało?

– Och, jak to dobrze, że to był tylko sen. Dziękuję, Anno, że mnie obudziłaś – odparł z wielką ulgą.

– Nie ma za co, kochanie, ale teraz wstawaj. Musisz iść do pracy, a nie możesz się spóźnić, bo to twój pierwszy dzień.

– Dobrze, już wstaję – odpowiedział, zastanawiając się, co ten sen miał oznaczać.

Był to pierwszy tak straszny sen w jego życiu.

– To wstawaj, a ja pójdę obudzić Madeleine – rzekła Anna, po czym udała się do pokoju Madeleine i zaczęła ją szturchać, mówiąc: – Wstawaj! Pora iść do szkoły!

– Dobrze, mamo, już wstaję. Ale co się stało? – spytała dziewczynka zaspanym głosem.

– Nic, wstawaj do szkoły – odpowiedziała stanowczo Anna – a ja idę zrobić ci kanapki. A ty masz za piętnaście minut być na dole – dodała.

– Dobrze.

* * *

Madeleine była śliczną i wesołą dziewczynką o dużych niebieskich oczkach i złotych, lekko kręconych, sięgających za ramiona włosach. Była bardzo grzeczna i uczynna. Można powiedzieć, że była po prostu małym aniołkiem, i nawet tata zwracał się do niej „mój aniołku".

Gdy wszyscy byli już w kuchni, Madeleine w biegu ucałowała rodziców, biorąc kanapki, i ruszyła od razu do szkolnego autobusu, który już na nią czekał przed domem.

Ich dom był typowym domkiem góralskim, który był pięknie wkomponowany w cudowny górski krajobraz. W dodatku najbliżsi sąsiedzi mieszkali dwa kilometry od nich.

– Dzień dobry! – przywitała się Madeleine, wbiegając do autobusu.

– Dzień dobry! – odpowiedział kierowca.

Madeleine pospiesznie ruszyła szukać wolnego miejsca. Zauważyła jedno na końcu, obok chłopca, który siedział przy oknie. Wyglądał na biednego i smutnego, miał poszarpane stare dżinsy i zielony zmechacony sweter, a jego włosy były rozczochrane i brudne. Był jakby nieobecny, lecz miał w oczach coś takiego, co zaintrygowało Madeleine, i tym bardziej miała chęć go poznać. Gdy już do niego podeszła, zapytała z życzliwym uśmiechem na ustach:

– Czy mogę się przysiąść?

Chłopczyk w pierwszym momencie nie zrozumiał jej słów. Był w lekkim szoku, że ktoś do niego podszedł i o coś zapytał, bo z reguły nikt nie chciał z nim rozmawiać, a już na pewno nie tak piękna dziewczynka jak Madeleine. Po chwili ta zapytała więc ponownie:

– Czy mogę usiąść?

W końcu chłopczyk ocknął się i odpowiedział:

– Pewnie, proszę, usiądź.

– Cześć! Mam na imię Madeleine. A ty?

– Mateusz – odpowiedział miłym głosem, lecz na jego twarzy nadal rysowało się wielkie zdziwienie tym, że taka dziewczynka usiadła koło niego.

– W której klasie jesteś? – zapytała.

– W 1 A.

– O, to fajnie, bo ja też będę chodziła do tej klasy. Właśnie dziś jest mój pierwszy dzień i troszkę się boję.

– Nie ma czego, na pewno dasz sobie radę. Jesteś bardzo miła. Na pewno wszyscy cię polubią.

– Dziękuję za komplement. Ty też jesteś bardzo miły – odpowiedziała, puszczając mu oczko.

Mateusz nic nie odpowiedział, tylko lekko się uśmiechnął, myśląc w duchu, że i tak, jak tylko wejdą do klasy, ich znajomość się zakończy, bo Madeleine na pewno od razu pozna jakąś koleżankę lub jakiegoś kolegę, z którymi będzie chciała się przyjaźnić.

– Już dojeżdżamy! – krzyknął nagle kierowca, co spowodowało natychmiastową reakcję Madeleine, która od razu zaczęła przyglądać się całej okolicy i szkole.

– To ta szkoła? – zapytała z zachwytem. – Jest bardzo ładna i nowoczesna.

– Tak, to ta. Została zbudowana dwa lata temu – odpowiedział z uśmiechem Mateusz. – Ma dużą salę gimnastyczną, basen i nowoczesną salę komputerową. Jest naprawdę super!

Szkoła znajdowała się na nowym osiedlu leżącym u podnóża Tatr. Z tyłu rozciągał się niezbyt wysoki łańcuch górski, lecz widok i tak był imponujący. Po lewej stronie znajdowało się małe, krystalicznie czyste, polodowcowe jeziorko, a po prawej piękny świerkowy las. Wszystko to sprawiało, że krajobraz był wręcz baśniowy.

***

– Wysiadać! – powiedział kierowca, przerywając Madeleine podziwianie okolicy.

W jednej chwil wszyscy rzucili się do wyjścia.

– Poczekajmy, aż wszyscy wysiądą – powiedział Mateusz do Madeleine, łapiąc ją za rękę, by nie zniknęła w tłumie.

– Dobrze! Nie mogę się już doczekać, aż zobaczę całą szkołę w środku. Oprowadzisz mnie po niej później? – zapytała z radością.

– Jasne! – odparł i gdy już prawie wszyscy wyszli z busa, Madeleine i Mateusz ruszyli do wyjścia.

Nagle ktoś z tyłu krzyknął.

– Skąd masz taką fajną dziewczynę, śmierdzielu?

– Nie twój interes, Kacper! – powiedział ze złością Mateusz.

Madeleine była bardzo zaskoczona bezczelnością tamtego chłopca.

– O co mu chodzi? – zapytała.

– Nie zwracaj na niego uwagi. To klasowy przygłup. Chodźmy szybciej, bo spóźnimy się na lekcję – dodał, będąc wyraźnie lekko zirytowany.

Gdy dotarli do klasy, zobaczyli, że dzieciaki rzucają się papierowymi kulkami. Mateusz wszedł pierwszy i zdecydowanym krokiem kierował się ku ostatniej ławce, stojącej przy oknie. Madeleine szła tuż za nim. Nagle Mateusz potknął się i runął jak długi. Madeleine, która widziała całą scenę, zauważyła, że to dziewczyna o czarnych włosach i bardzo zarozumiałej twarzy podłożyła jej koledze nogę. Tymczasem wszyscy zaczęli się śmiać i krzyczeć: „Niezdara!".

Madeleine szybko podeszła do dziewczyny i powiedziała:

– Dlaczego mu to zrobiłaś? Oszalałaś?!

– To był tylko żart – odpowiedziała tamta, śmiejąc się dalej.

– Spróbuj to zrobić jeszcze raz, a będziesz miała ze mną do czynienia – oświadczyła groźnie Madeleine.

– Dobra, dobra! – odparła czarnowłosa, marszcząc czoło. – A tak w ogóle to kim ty jesteś? – dodała.

– Nazywam się Madeleine i będę z wami teraz chodziła do klasy – oznajmiła, po czym skierowała się w stronę ławki Mateusza, a gdy już do niego dołączyła, bardzo go to ucieszyło.

– Wszystko w porządku? – zapytała z troską.

– Tak! Jestem już do tego przyzwyczajony – odparł smutnym głosem.

„Nie mogę zrozumieć, jak można się tak zachowywać. Co to za ludzie" – pomyślała Madeleine.

– Dzień dobry! – przywitała się pani nauczycielka, które weszła właśnie do klasy, przerywając cały ten cyrk.

– Dzień dobry pani! – odpowiedzieli wszyscy zgodnym chórem, po czym każdy usiadł szybko na swoim miejscu.

– Zanim zacznę sprawdzać obecność, chciałabym wam przedstawić nową koleżankę. Proszę, Madeleine, podejdź tu do mnie i powiedz kilka słów o sobie. Zapraszam.

Madeleine wstała i ruszyła na środek sali. Była trochę zestresowana, ale wzięła się w garść i zaczęła opowiadać:

– Nazywam się Madeleine Karpenter. Mieszkałam w Krakowie, a przeprowadziliśmy się tutaj, bo mój tata dostał tu pracę. Tata jest architektem i będzie projektował nowe osiedla w okolicy. Mama jest fryzjerką, ale teraz będzie opiekowała się domem. Lubię jeździć na łyżwach. W Krakowie chodziłam do klubu łyżwiarskiego. Jestem jedynaczką, chociaż bardzo bym chciała mieć rodzeństwo. Cieszę się, że tu przyjechałam, ponieważ jest tu bardzo pięknie, i mam nadzieję, że poznam tu wielu nowych przyjaciół – mówiąc to, uśmiechnęła się do Mateusza, na razie mając na myśli przede wszystkim jego.

– Dziękuję ci, Madeleine. Przywitajmy naszą nową koleżankę brawami – zachęciła nauczycielka, a gdy oklaski przebrzmiały, powiedziała do dziewczynki: – A teraz usiądź, skarbie.

Kiedy Madeleine udała się do ławki nauczycielka powiedziała:

– Teraz zajmiemy się dodawaniem i odejmowaniem...

– Bardzo miła ta pani – oznajmiła Madeleine, zwracając się szeptem do Mateusza.

– Tak, to najlepsza nauczycielka i na szczęście jest nasza wychowawczynią – odpowiedział Mateusz, dalej skupiając się już tylko na lekcji.

Gdy ta się skończyła i zadzwonił dzwonek na przerwę, chłopiec i dziewczynka szybko wybiegli z klasy, by obejrzeć szkołę. Mateusz oprowadzał nową koleżankę po wszystkich fajnych pomieszczeniach. Na szczęście wszystkie sale miały oszklone drzwi, dzięki czemu można było wszystko zobaczyć. Madeleine najbardziej spodobał się basen, bo były tam fajne zjeżdżalnie, a także sala gimnastyczna – duża i dobrze wyposażona. Można było w niej grać we wszystkie gry zespołowe. Na koniec Mateusz pokazał koleżance, gdzie znajdują się pokój nauczycielski i stołówka. Później dzieci pobiegły do klasy, bo zadzwonił już dzwonek na następną lekcję.

– Dziękuję ci, Mateusz. Pomyślałam sobie, że w rewanżu mogłabym zaprosić cię dziś do nas na obiad. Myślisz, że mógłbyś przyjść?

– Tak! Tylko spytam jeszcze rodziców, ale myślę że będę mógł.

– To super! A po obiedzie ulepimy bałwana. Jest taka ładna pogoda, że na pewno będziemy się dobrze bawić – powiedziała Madeleine, ciesząc się, że poznała takiego fajnego kolegę.

– Mam jeszcze prośbę: czy mogę przyjść z moją młodszą siostrą? – spytał nieśmiało chłopak.

– Pewnie, że tak. Na pewno się ucieszy.

– Dziękuję, na pewno przyjdziemy – odpowiedział chłopak z radością. – A gdzie dokładnie mieszkasz? – spytał jeszcze Mateusz.

– W Nowej Wsi przy ulicy Górskiej 1. To jest tak około trzydziestu minut od szkoły i czterdziestu minut od Zakopanego piechotą. A ty?

– Ja we wsi Dąbki. Jest tam tylko nasz dom, i jest to tak dwie godziny od ciebie i godzinę od Zakopanego.

– Okay, to jesteśmy umówieni, a teraz lepiej już wejdźmy do klasy.

Do końca wszystkich lekcji Mateusz i Madeleine nie odstępowali się na krok. Czuli się ze sobą bardzo dobrze. Widać było, że jest to początek wielkiej przyjaźni.

Gdy po lekcjach wyszli ze szkoły, a była to jedenasta rano, Madeleine zobaczyła, że jej tata już na nią czeka, rzuciła więc do Mateusza:

– Mój tata może cię podwieźć do domu, jeśli chcesz.

– Nie, nie, dziękuję. Mam jeszcze coś do załatwienia. Dam sobie radę.

– ok, to do zobaczenia na obiedzie. Tylko masz być!

– Tak, wiem, będę na pewno – odpowiedział z uśmiechem na twarzy.

Madeleine pobiegła do samochodu, krzycząc już z daleka do ojca:

– Cześć, tatku!

– Cześć, aniołku. I jak tam w nowej szkole?

– Super! Poznałam fajnego kolegę. Zaprosiłam go dziś na obiad, a po obiedzie będziemy lepić bałwana. Przyjdzie z młodszą siostrą – odparła z wielką radością.

– To fajnie – oznajmił tato, ciesząc się z tego, że Madeleine tak szybko poznała nowego kolegę.

– Szkoła też jest piękna. W Krakowie była starsza, a ta jest super! – dodała Madeleine.

– Mam nadzieję, że będzie ci dobrze w tej szkole, mój aniołku.

– Na pewno tak, tatusiu – odparła.

Po powrocie do domu Madeleine od razu pobiegła do mamy, by opowiedzieć jej o całym dniu w szkole i o tym, że zaprosiła na obiad kolegę. Kiedy mama wszystkiego już wysłuchała, powiedziała do córki:

— Kochanie, idź teraz do swojego pokoju i odrób lekcje, a ja przygotuję dobry obiad, by odpowiednio ugościć twojego nowego kolegę.

— Dobrze, mamusiu — odpowiedziała grzecznie dziewczynka i pobiegła szybko do swego pokoju, by zdążyć odrobić lekcje przed przyjściem gości.

Pokój Madeleine był pięknie urządzony. Ściany miały różowy kolor i ozdobione były rysunkami koników oraz drzewek. Na biurku stał komputer i leżały książki, a na komodach znajdowało się dużo lalek i zabawek. Był to po prostu typowo dziewczęcy pokój.

Po około godzinie od chwili, gdy Madeleine wzięła się za odrabianie lekcji, zadzwonił dzwonek do drzwi. Domownicy ruszyli szybkim krokiem do drzwi, by wspólnie przywitać gości. Dziewczynka otworzyła drzwi i powiedziała:

— Dobrze, że już jesteście.

— Dzień dobry — powiedzieli wspólnie Mateusz z siostrzyczką.

— Dzień dobry, kochani. Proszę, wejdźcie — zaprosiła Anna.

— Mam na imię Mateusz, a to moja siostra Ada.

— Miło nam bardzo. Ja mam na imię Anna, a to mój mąż Gabriel. Proszę, wejdźcie do pokoju i usiądźcie do stołu. Zaraz podam obiad. Ale mam jeszcze pytanie. Czy rodzice wiedzą, że jesteście u nas?

– Tak, rodzice nam pozwolili tu przyjść – odpowiedział troszkę zmieszany, ponieważ wiedział, że to nieprawda. Ich rodzice byli tak upojeni alkoholem, że ledwo żyli.

– W takim razie cieszę się... Więc zapraszam – powiedziała Anna, pokazując ręką drogę do salonu.

– Dobrze, proszę pani – odpowiedział grzecznie Mateusz, ruszając w stronę salonu.

Salon był bardzo ekskluzywny, z kominkiem, w którym właśnie paliło się drewno, dając przyjemne ciepło. Meble były w starym stylu, a na środku stał piękny dębowy stół, na którym paliły się eleganckie świece i który ozdabiał wspaniały bukiet kwiatów. Jakby tego wszystkiego było mało, w powietrzu unosił się cudowny zapach jedzenia, co spowodowało, że Mateuszowi zaczęło burczeć w brzuchu. Słysząc to, Anna uśmiechnęła się lekko do Mateusza i powiedziała:

– Widzę, że jesteś głodny. To dobrze, bo mamy dużo jedzenia i nie może się zmarnować, więc siadajcie, kochani – poprosiła, po czym wzięła Adę w ramiona i podsadziła ją na krześle.

– Tekuje, plose pani – powiedziała Ada, co od razu wywołało uśmiech na twarzy Anny. Pomyślała sobie, że jeszcze niedawno taka słodka była jej Madeleine. Mała Ada była cudowna. Miała kręcone blond włoski, błękitne oczy i mały nosek, a do tego tak słodko sepleniła.

Gdy już Anna podała do stołu i wszyscy zaczęli jeść, zarówno gospodyni, jak i jej mąż od razu zauważyli, że Mateusz jadł łapczywie, choć kulturalnie. Widać było, że chłopak spożywa ze świadomością, że nieprędko powtórzy się taka okazja, by ponownie się najeść. Bardzo się kontrolował, by nikt nie poznał, że jest taki głodny, ale Anna i Gabriel i tak się tego domyślili. Nie mogli zrozumieć, jacy rodzice pozwalają na to, by ich dzieci chodziły głodne.

– Może dokładkę? – zapytała Mateusza Anna.

– Tak, poproszę – odparł.

– A ty, Adziu?

– Tes poplose – zaspleniła Ada, a wszyscy lekko się uśmiechnęli.

– Smakuje wam? – spytała Anna.

– Bardzo dobre, proszę pani. Jest pani bardzo dobrą kucharką – dodał Mateusz.

– Dziękuję ci bardzo – odpowiedziała Anna, lekko się rumieniąc. – No, a jak zjecie, to wszyscy pójdziemy ulepić bałwana – dodała.

– Hura! – krzyknęła Madeleine, bo bardzo ucieszyła się, że mama i tata będą razem z nimi lepić bałwana. Mateusz i Ada też się ucieszyli, bo oni nigdy się nie bawili ze swoimi rodzicami.

Gdy po skończonym posiłku wszyscy poszli na podwórko, każdy zaczął robić kule śnieżne. Po chwili jednak Gabriel zaczął rzucać śnieżkami – najpierw rzucił w Madeleine, później w Mateusza, i tak zaczęła się bitwa na kulki. Wszyscy się ganiali i rzucali. Mateusz był bardzo szczęśliwy, że Ada mogła choć przez chwilę poczuć się jak beztroskie czteroletnie dziecko i poczuć miłość dorosłych, bo rodzice Madeleine byli wspaniali i bardzo serdeczni. Wszyscy świetnie się bawili, a gdy już ulepili bałwana, Mateusz powiedział, że musi iść do domu, bo była już dziewiętnasta.

– Dobrze, ale was podwiozę – zaproponował Gabriel.

– Dziękuję panu – odparł chłopiec, po czym wszyscy pożegnali się ze sobą, i Gabriel pojechał zawieźć dzieci do domu.

– Gdzie mieszkacie? – zapytał.

– We wsi Dąbki. Zna pan drogę?

– Tak, znam – odparł mężczyzna.

Gdy byli już w połowie drogi, Gabriel zauważył, że Ada już prawie zasnęła. „Aż szkoda ją budzić" – pomyślał.

– Ada, obudź się, już prawie jesteśmy – powiedział Mateusz, potrząsając ją lekko.

– Jus? Ale mi spać się chce – odpowiedziała słodko mała.

– Tak, wiem, zaraz pójdziesz spać. I dziękujemy panu bardzo za podwiezienie – dodał chłopak.

– Nie ma za co, kochani. To do zobaczenia.

– Do widzenia – odpowiedzieli Mateusz z Adą i ruszyli w stronę swego domu.

Ich dom był stary i zaniedbany. Na podwórku przy budzie siedział pies, a obok domu stała stara drewniana, prawie rozwalająca się obora – nie był to zbyt imponujący widok.

Po powrocie do domu Gabriel zobaczył, że Madeleine już śpi. Anna prawie już kończyła sprzątać, podszedł więc do niej i zapytał:

– Pomóc ci?

– Nie, nie trzeba! Już kończę. Te dzieci są wspaniałe, co nie? – spytała.

– Tak. Są naprawdę kochane i bardzo grzeczne.

– Mam nadzieję, że Madeleine będzie się z nimi przyjaźnić – dodała.

– Ja też mam taką nadzieję. Zauważyłaś, że były głodne? Chyba mają bardzo biednych rodziców, bo ich dom wyglądał staro i był zaniedbany. Na pewno są biedni – rzekł Gabriel.

– Ale my im trochę pomożemy, co, kochanie? – spytała z troską Anna.

– Pewnie, że tak, ale niech najpierw Madeleine wszystkiego się o nich dowie, bo w takich sprawach trzeba być bardzo delikatnym.

– Masz rację. A teraz chodźmy już spać, bo jestem wykończona.

– Dobrze, kochanie – odparł Gabriel.

Rozdział 1

Następnego dnia, po tym jak Gabriel opowiedział Madeleine, w jakich warunkach mieszkają Ada i Mateusz, dziewczynka postanowiła spytać kolegę, czym zajmują się jego rodzice, bo martwiła się o niego i o jego siostrę. Mateusza nie było jednak w szkole, co jeszcze bardziej zmartwiło Madeleine. Postanowiła więc odwiedzić go po zajęciach. Poprosiła tatę, by zawiózł ją do Mateusza. Po przywiezieniu córki, tato szybko odjechał, bo się śpieszył.

Madeleine, zobaczywszy dom wyglądający jak ruina, była zdziwiona, że ktoś może jeszcze w takich warunkach mieszkać. Po chwili zadumy zaczęła zbliżać się ku wejściu, ale gdy miała już zapukać do drzwi, usłyszała jakieś krzyki. Poszła więc najpierw zobaczyć przez okno, co dzieje się w środku. To, co tam ujrzała, nie napawało optymizmem. Zobaczyła, jak ojciec Mateusza krzyczał na niego, pokazując mu pustą butelkę po wódce.

– Mówiłem ci, że masz mi załatwić wódkę, bo jak nie, to bardzo się zdenerwuję! Masz mi za godzinę przynieść wódkę. Jak nie, to pożałujesz!

– Dobrze tato, przyniosę – z płaczem odpowiedział chłopak.

Madeleine po chwili pomyślała o siostrze Mateusza i szybko zaczęła się za nią rozglądać, lecz nigdzie jej nie widziała. Zobaczyła tylko wielki bałagan i mamę Mateusza, która leżała na kanapie i co jakiś czas podnosiła się, krzycząc:

– Ja chcę wódki! Przynieście mi szybko!

Nagle przybiegła Ada i odezwała się z płaczem.

– Tato, zostaw go! Zalaz ci psyniesiemy wódkę.

– No to już, idźcie po tę wódkę! – odpowiedział z krzykiem. Po chwili Mateusz i Ada wybiegli z domu, nie zauważyli jednak stojącej pod oknem Madeleine.

– Ee! Stójcie, czekajcie! – zawołała dziewczynka.

– A co ty tu robisz? – zapytał Mateusz. W jego głosie pobrzmiewało zdziwienie przemieszane ze wstydem.

– Martwiłam się o ciebie, bo nie byłeś dziś w szkole.

– Dziękuję za troskę. A teraz biegnijmy. Po drodze wszystko ci wyjaśnię.

Gdy Mateusz powiedział Madeleine całą prawdę o swoich rodzicach, dziewczynka nie mogła uwierzyć, że ktoś tak traktuje własne dzieci.

– To jest okropne! – powiedziała ze złością Madeleine. – A gdzie teraz biegniemy?

– Idziemy prosić ludzi o pieniądze. Jak tylko uzbieramy, ile trzeba, to kupimy wódkę dla mamy i taty, a za resztę kupimy sobie coś do jedzenia. Ty lepiej idź do domu.

– Nie! Ja was tak nie zostawię. Pomogę wam, ale jak tylko kupimy wódkę i zaniesiemy im ją, to pójdziemy do mnie do domu i przenocujecie u mnie. I powiem swoim rodzicom o wszystkim. Oni coś powinni na to poradzić. Tylko mi nie odmawiaj.

– Dobrze, Madeleine – ze łzami w oczach odpowiedział Mateusz, myśląc przede wszystkim o dobru swojej siostry. Poszli więc do centrum Zakopanego i zaczęli prosić ludzi o datki. Mateuszowi było bardzo źle z tym, że musi oszukiwać ludzi, mówiąc im, że to na jedzenie, a tak naprawdę chodziło o wódkę dla jego rodziców. Robił to jednak dla swojej siostrzyczki, by nie musiała wysłuchiwać ich krzyków.

Gdy już uzbierali odpowiednią sumę, poszli szybko do sklepu i kupili coś do jedzenia. O kupienie wódki poprosili bezdomnego mężczyznę, bo takim malcom nikt by jej nie sprzedał. Mateusz już od dawna miał z nim umowę, że w zamian za dostarczenie im wódki mężczyzna może sobie z ich pieniędzy kupować tanie wino.

Gdy już wszystko kupili, szybko ruszyli do domu, by przekazać zakupy rodzicom. Już przed domem Mateusz powiedział do Madeleine i Ady:

– Zostańcie na podwórku. Ja sam wejdę do domu i dam im zakupy. Zaraz wracam.

– Dobrze, my tu poczekamy i się troszkę pobawimy – odpowiedziała Madeleine.

Wchodząc do domu, Mateusz trochę się bał, że ojciec coś mu zrobi za to, że tak długo go nie było.

– Tato, mamo, już jestem. Mam to, co chcieliście – powiedział drżącym głosem.

– No, nareszcie, smarkaczu! Dawaj to szybko, bo dostaję już szału. Jeśli jeszcze raz będziemy musieli tak długo czekać, to pożałujesz – odparł ojciec chłopaka groźnym tonem.

– Mogę iść z Adą do koleżanki na noc? – zapytał grzecznie Mateusz.

– Tak, spadajcie! – krzyknął ojciec.

– Dziękujemy – odpowiedział z radością chłopak i wybiegł szybko z domu, biorąc pod pachę tylko parę najpotrzebniejszych ciuchów, by powiedzieć Adzie, że mogą iść do Madeleine.

– I co? Możecie iść do mnie? – zapytała Madeleine.

– Tak, możemy.

– Cieszę się bardzo. Pogramy sobie w gry komputerowe – odparła Madeleine.

„Przynajmniej będą bezpieczni" – pomyślała w duchu.

– Hula, hula! – krzyczała Ada, ciesząc się bardzo.

Chociaż do domu Madeleine szło się na nogach około dwóch godzin, droga mijała im bardzo fajnie. Mateusz miał w końcu trochę czasu, by opowiedzieć Madeleine wszystko o swoim życiu. A później porzucali się trochę śnieżkami i bawili się w berka. Czas minął im bardzo szybko.

– O, jus jesteśmy – krzyknęła z radością Ada.

– Tak, kochanie, jesteśmy – rzekła Madeleine. – Kochaną masz tę siostrzyczkę – zwróciła się do Mateusza.

– Wiem, dlatego muszę o nią zadbać – odparł chłopak.

– No, to chodźmy do domu, ogrzejemy się i zjemy kolację – dodała Madeleine.

– Nareszcie jesteście – powiedziała Anna, otwierając im drzwi, jakby w ogóle nie zdziwiła się obecnością Mateusza i Ady. – Chodźcie do domu, bo na pewno przemarzliście.

– Dzię dobly pani – przywitała się Ada.

– Cześć, kochanie – odpowiedziała Anna i wzięła Adę na ręce, mocno ją tuląc. – Madeleine, zaprowadź gości do salonu i usiądźcie przy kominku, to zaraz zrobi się wam ciepło, a ja prędko przygotuję kolację.

– Dobrze, mamo – odpowiedziała Madeleine.

Czekając na kolację, Mateusz i Madeleine wygłupiali się z Adą.

– Siadajcie do stołu. Kolacja gotowa – powiedziała mama Madeleine, przerywając im zabawę. – Po kolacji pójdziecie do pokoju trochę się pouczyć, a ja zajmę się Adą – dodała.

– Dobrze, mamo – odrzekła Madeleine.

Pomagając mamie w sprzątaniu po kolacji, dziewczynka opowiedziała jej, czego się dziś dowiedziała o rodzicach Mateusza i Ady. Zszokowana Anna tylko pokręciła głową.

– Mamo, czy Ada i Mateusz będą mogli u nas przenocować? – spytała Madeleine, kończąc rozmowę.

– No pewnie, że tak. Jak tata wróci, to z nim porozmawiam i coś wymyślimy – odparła Anna. – A teraz idźcie się pouczyć.

– Dobrze, już idziemy – odpowiedziała Madeleine, zawołała Mateusza, który zajmował się swoją siostrą, i razem z nim pobiegła do swojego pokoju.

Ada tymczasem została z Anną w salonie. Już w pokoju Madeleine przekazała Mateuszowi dobrą wiadomość:

– Możecie u nas przenocować.

– Super! – krzyknął radośnie chłopak.

I tak, Madeleine uczyła się z Mateuszem, a jej mama bawiła się z Adą. Wyglądali wszyscy jak jedna szczęśliwa rodzina.

Gdy pojawił się tata Madeleine, mama zawołała wszystkich na pączki, bo Anna dzwoniła wcześniej do niego, że mają gości. Po posiłku wszyscy razem obejrzeli dobranockę, a następnie rodzice Madeleine położyli dzieci do łóżek. Sami długo rozmawiali o tym, co zrobić, by rodzice Ady i Mateusza zaczęli się interesować swoimi dziećmi, a nie tylko alkoholem. Wpadli na pomysł, by udać się do opieki społecznej. Niech ta zajmie się ich rodziną.

— Chodźmy już spać — powiedziała Anna.

— Dobrze, kochanie. Jutro wszystko załatwię — odparł Gabriel, ziewając.

Rano, przed wyjazdem do pracy, Gabriel wybrał się do opieki społecznej i wszystko opowiedział. Kobieta, która go wysłuchała, odparła:

— Wie pan, ile mamy takich spraw?

— Ile?

— Bardzo dużo. To jest mała miejscowość i panuje tu duże bezrobocie, dlatego wielu ludzi pije. Nie jesteśmy w stanie dopilnować wszystkich rodzin. Jak tylko będziemy mieć więcej czasu, zajmiemy się tą rodziną — dodała, bagatelizując całą sprawę.

— Pani chyba żartuje! To nie może czekać. Przecież tym dzieciom może się coś stać! — powiedział z oburzeniem Gabriel.

— Spokojnie. Postaram się pójść do nich jak najszybciej — rzuciła szybko pani Krystyna (a w każdym razie takie imię widniało na jej identyfikatorze).

— Jak mam być spokojny, skoro te dzieci cierpią? Ale dobrze. Poczekam i mam nadzieję, że się pani postara — dodał zdenerwowany Gabriel.

— Tak, postaram się.

— To do widzenia pani — rzekł Gabriel i wyszedł, trzaskając drzwiami.

Rozdział 2

Około dwóch tygodni później, w niedzielę, Madeleine z Mateuszem i Adą bawili się w parku w pobliskim mieście, lepiąc ze śniegu różne figurki. Mimo że był już początek marca 1987 roku, zima trwała w najlepsze. Zrobiło się dość późno, więc Madeleine zadzwoniła z budki telefonicznej do domu, by tata po nich przyjechał – musieli się jeszcze przygotować do szkoły. Z tego powodu Mateusz z Adą nie mogli u nich nocować, więc Gabriel odwiózł ich do domu, sprawdzając na miejscu, czy rodzice dzieci nie są zbyt pijani i agresywni. Po upewnieniu się, że wszystko jest w porządku, ojciec z córką wrócili do domu. Gdy zjedli kolację, położyli się spać, bo, jak wiadomo, nikt nie lubi poniedziałków.

Madeleine jednak widocznie coś trapiło, bo nie mogła zasnąć. Udało jej się to dopiero około dwudziestej pierwszej. W domu zapadła cisza. Nagle rozległ się przerażający krzyk.

– Nie! Nie...

Anna szybko pobiegła do Madeleine, bo krzyk dochodził z jej pokoju.

– Co ci się stało, kochanie? – spytała się mama, tuląc małą do siebie.

— Szybko, szybko! Musimy jechać do Mateusza! – powiedziała Madeleine, szlochając.

— Po co? Co ci jest, kochanie? – spytała zaniepokojona Anna, bo nigdy nie widziała córki tak rozhisteryzowanej.

— Mamo, szybko! Coś mu się stało. Czuję to!

— Co ci jest, aniołku? – spytał Gabriel, który po chwili także wbiegł do pokoju.

— Tato, ubieraj się! Szybko! Musimy jechać! – krzyczała Madeleine.

— Kochanie, to był tylko zły sen – uspokajała dziewczynkę mama.

— Nie! Ja wiem, że coś im się stało!

— Dobrze, kochanie. Ubierz się szybko. Zaraz pojedziemy, tylko się uspokój – odparł Gabriel.

Pomyślał sobie, że faktycznie coś może być na rzeczy. Z drugiej strony zdawał sobie jednak sprawę, że równie dobrze jego córka może mieć tylko jakieś złe przeczucia.

— Dobrze, tato – stwierdziła Madeleine i w pośpiechu zaczęła się ubierać.

Oboje z tatą ubrali się bardzo szybko i, nie tracąc czasu, ruszyli w drogę. Pogoda zrobiła się okropna; była zawierucha i około −20 stopni mrozu.

— Tato, szybciej! – krzyknęła Madeleine.

— Nie mogę jechać za szybko, bo będziemy mieć wypadek – odpowiedział zaniepokojony, jadąc dalej w skupieniu.

Na chwilę zapadła cisza.

— Zatrzymaj się, tato! – niespodziewanie krzyknęła Madeleine. – Stój!

— Już się zatrzymuję! Spokojnie, skarbie – odpowiedział mężczyzna, od razu hamując.

Madeleine szybko wyskoczyła z samochodu i zaczęła wołać Mateusza. Gabriel nic z tego nie rozumiał, ale nagle coś usłyszał. Przypominało to głos dziewczynki. Zaczął się rozglądać, lecz z powodu zamieci trudno było cokolwiek zobaczyć.

– Cicho, Madeleine! Coś słyszałem – powiedział.

– Latunku! Latunku!

– Słyszysz, Madeleine? – spytał Gabriel.

– Tak, słyszę.

– To chyba stamtąd – pokazał palcem i szybko pobiegł we wskazane miejsce, a Madeleine ruszyła za nim.

Głos był coraz mocniejszy, więc biegli dalej. Zdawało im się, że dochodzi z lasu, ale raczej z miejsca znajdującego się stosunkowo blisko drogi.

– O mój Boże! To naprawdę wy! – stwierdził Gabriel, widząc Mateusza siedzącego przy drzewie, tulącego Adę do siebie i przyciskającego ją jednocześnie do drzewa tak, by dziewczynka była osłonięta z każdej strony.

Nagle Ada rzuciła się w stronę Gabriela i mocno się do niego przytuliła.

– Już jesteśmy, Mateusz! – krzyknęła Madeleine, łapiąc chłopaka za rękę, lecz on ani drgnął. Nic też nie odpowiedział.

Gdy Madeleine zorientowała się, że Mateusz w ogóle nie reaguje, zaczęła do niego krzyczeć.

– Odezwij się! Co ci jest?! Obudź się! – wołała. On jednak nie reagował.

Widząc to, Gabriel podszedł do nich i zbadał chłopcu puls, ale nic nie wyczuł. Wiedział już, że Mateusz nie żyje. Wiedział, że musi powiedzieć o tym córce.

– Przykro mi, ale... – zaczął.

– Nie! To nie może być prawda! – krzyczała z płaczem Madeleine. – Nie! Nie! Nie!

Dziewczynka krzyknęła tak głośno, że Gabriel o mało nie ogłuchł. Wtem zauważył coś bardzo dziwnego. Wydawało się, że naokoło Madeleine coraz silniej zaczyna wiać wiatr.

Wyglądało to tak, jakby otaczało ich tornado. Skojarzył od razu, że ma to związek ze złością Madeleine, więc przytulił ją i poprosił, by się uspokoiła. Gdy wiatr zaczął się uspokajać, zobaczyli zawieszoną w powietrzu białą postać chłopca, która wołała: „Zaopiekuj się Adą!". Powtórzywszy to jeszcze kilka razy, postać powoli zaczęła znikać w oddali. Madeleine wiedziała, że to duch Mateusza, odpowiedziała mu więc:

– Nie martw się. Zaopiekuję się nią.

– Dziękuję. O mnie się nie martwcie. Tam, dokąd idę, nie ma już cierpienia. Wszystko będzie dobrze.

W czasie, gdy duch mówił, było go widać coraz słabiej i słabiej. Wreszcie zniknął zupełnie.

Madeleine była tym wszystkim tak zszokowana, że zupełnie zapomniała o Adzie. Dopiero po chwili zobaczyła dziewczynkę.

– Co z Adą, tato? – zapytała, spoglądając na ojca.

– Wszystko dobrze – oznajmił mężczyzna.

Madeleine zobaczyła teraz, że jej ojca otacza jaśniejąca łuna.

– Co to jest? – spytała, wskazując na łunę.

– Nie wiem! – odpowiedział po chwili. – Ta aura chyba ogrzewa Adę – dodał.

– Ale skąd...? – ze zdumieniem zapytała dziewczynka.

– Nie wiem. Może to zasługa Mateusza – odpowiedział zmieszany ojciec. – Chodźmy szybko. Trzeba wezwać karetkę i policję.

Po przyjeździe karetki stwierdzono zgon Mateusza, a Gabriel został poinformowany, że trzeba wziąć Adę na obserwację.

– Nie martw się, słonko, wszystko będzie dobrze – powiedział Gabriel, mocno tuląc Adę.

Ta jednak płakała i bez przerwy wymawiała imię brata. Była w lekkim szoku. To wszystko, co się stało, musiało pozostawić ślad w jej serduszku i umyśle.

– Zaraz przyjadę do ciebie. Już nikt więcej cię nie skrzywdzi – dodał roztrzęsiony Gabriel.

– Przepraszam pana, ale musimy już jechać – powiedział lekarz, zamykając drzwi karetki.

– Nie martw się. Zaraz będziemy! – krzyknął na koniec Gabriel, po czym podszedł do Madeleine, która nadal siedziała nad ciałem Mateusza i płakała.

– Nie płacz, aniołku – uspokajał ją Gabriel.

– Dlaczego? Dlaczego on...? I w taki sposób...? – pytała, tuląc się do ojca.

– Nie wiem, aniołku, ale najwyraźniej Bóg tak chciał – odparł.

Nagle Gabriel dostrzegł przemykającą wśród drzew ciemną postać. Wyglądała jak ta z jego snu i znów usłyszał jej okropny śmiech. Trochę to go zaniepokoiło, lecz postanowił to zignorować. W tym momencie postać znikła.

Gdy zabrano już ciało Mateusza, Gabriel i Madeleine pojechali do domu i opowiedzieli Annie o wszystkim, co się stało. Następnie pojechali do szpitala, by zobaczyć się z Adą. Anna była zszokowana. Trudno jej było w to wszystko uwierzyć. Pomyślała sobie, że zrobi co w jej mocy, by adoptować Adę i dzięki temu oszczędzić dziewczynce dalszego cierpienia. Zdążyła już bardzo ją pokochać.

* * *

Na szczęście sąd bardzo szybko przyznał Annie i Gabrielowi prawo do adopcji. Trwało to około miesiąca. Równie szybko sąd skazał rodziców Ady i Mateusza. Dostali karę 12 lat więzienia za nieumyślne spowodowanie śmierci syna.

Madeleine bardzo się cieszyła z faktu, że Ada będzie jej siostrą i że może dotrzymać słowa danego Mateuszowi. Jednak po tej całej tragedii w jej sercu został ślad, który sprawił, że bardzo wydoroślała. Postanowiła też ćwiczyć sztuki walki. O swoich nadprzyrodzonych umiejętnościach, które odkryła w czasie tragedii, zdecydowała się nie mówić rodzicom. Uznała, że ten dar pochodzi od Mateusza i ma chronić ludzi przed złem.

Rozdział 3

Minęło 25 lat. Madeleine wyrosła na piękną kobietę. Została młodym i wielkim, szanowanym naukowcem, specjalistą od historii starożytnej. Potrafiła odszyfrować wszelkie starożytne pisma, a także doskonale kojarzyła fakty. Pracowała jako wykładowca na Uniwersytecie Jagiellońskim, gdzie zarządzała w Katedrze Archeologii i Historii.

Również Ada wyrosła na mądrą dziewczynę. Skończyła ekonomię i właśnie rozpoczęła pracę jako księgowa na tym samym uniwersytecie co Madeleine.

Anna i Gabriel byli dumni ze swoich córek, ale nie mogli doczekać się wnuków, ale na razie ani Madeleine, ani Ada nie miały zamiaru brać ślubu. Wolały zająć się najpierw swoją karierą, przez co nie miały nawet chłopców.

Rozdział 4

B

ył 24 grudnia 2012 roku. Madeleine i Ada były w domu rodziców. Wszyscy jedli wigilijną kolację, wesoło rozmawiając.

– Madeleine, jak dalej będziesz zajmować się tylko swoją karierą, to zostaniesz starą panną – powiedziała Anna, śmiejąc się.

– Oj, mamo! Nie masz się o co martwić. Na pewno znajdę odpowiedniego chłopaka, który dorówna mi urodą i intelektem – odpowiedziała ironicznie i z uśmiechem.

– Dobrze mówisz, aniołku. Moje córeczki nie mogą brać ślubu z byle kim – wtrącił Gabriel.

– Kochanie, ty im tak nie mów, bo nigdy nie zostaniesz dziadkiem. Pewnie, że mają sobie znaleźć dobrych mężów, ale w tym rzecz, że one w ogóle nie myślą o chłopakach, tylko o swojej karierze – odpowiedziała mama.

– Mamo, a pamiętasz, jak Madeleine zjeżdżała na jabłuszku, a ty na nartach, i wjechała w ciebie, przez co upadłaś, turlając się po śniegu? A gdy wstałaś, wyglądałaś jak bałwanek, a my z tatą pokładaliśmy się ze śmiechu – powiedziała Ada, zmieniając szybko temat.

– No! No! Ale wtedy śmiesznie wyglądałaś, kochanie – wtrącił Gabriel, śmiejąc się głośno.

Zrobiło się naprawdę wesoło i tak przez całą kolację zebrani wspominali zabawne sytuacje, jakie im się przytrafiły. Tę sielankę przerwał nagle telefon, który odebrała Anna.

– Madeleine, to do ciebie – powiedziała, dając jej słuchawkę.

– Kto to? – zapytała Madeleine.

– Profesor Markowski.

– W Wigilię? Czy coś się stało?

– Nie wiem. Mówi, że to bardzo ważne – odparła Anna, oddając córce słuchawkę.

– Cześć, Tomasz. Czy coś się stało?

– Włącz szybko telewizor! – odezwał się straszliwie podniecony głos w słuchawce.

– Po co?

– Zaraz zobaczysz. Włączaj szybko!

– Dobra, nie gorączkuj się – odparła Madeleine.

Gdy już włączyła i zobaczyła, co się stało, aż usiadła z wrażenia.

– *To prawdziwa sensacja. Egipscy archeologowie odkryli pod Sfinksem Komnatę Wiedzy. Jeszcze do niej nie weszli, gdyż twierdzą, że nie wiedzą, jak się tam dostać, bo wykonane z kamienia drzwi nie mają żadnych klamek. Naukowcy próbowali już wszystkiego, ale bezskutecznie. Mówią, że na drzwiach znajdują się nieznane inskrypcje, które trzeba odszyfrować, bo to one mogą być kluczem do otworzenia tajemniczych wrót. Z Egiptu mówiła dla państwa Marta Pochenek.*

– *Dziękujemy ci, Marto. Jak tylko dowiemy się czegoś nowego, będziemy państwa informować na bieżąco. Do zobaczenia. Dla Faktów mówił Kamil Dekczer.*

Wszyscy z niedowierzaniem, w osłupieniu, patrzyli w telewizor.

– I co ty na to, Madeleine? – spytał profesor.

– To... To... niesamowite – odpowiedziała, jąkając się.

– Ale powiem ci coś jeszcze – dodał mężczyzna.

– Co? Że przyleciało UFO? – zażartowała, będąc już i tak pod dużym wrażeniem tego, co usłyszała.

– Nie wygłupiaj się. Lepiej usiądź.

– Siedzę. Mów! – odparła ciągle w wielkim szoku.

– A wiesz, kogo poprosili o odszyfrowanie tych hieroglifów?

– Pewnie tego głupka profesora Jonatana z Uniwersytetu Harvarda – odparła Madeleine.

– Nie. Ciebie! – odparł profesor podniesionym głosem, ciesząc się z tego, że to on mógł przekazać jej tę wiadomość, bo był bardzo ciekaw jej reakcji.

– Co?! To niewiarygodne... Jest! Jest! Jest! – krzyknęła głośno. – Super! Naprawdę mnie? – zapytała z niedowierzaniem.

– Tak, naprawdę! Chcą tylko ciebie. Uważają, że jesteś najlepsza.

– To wszystko chyba mi się śni. Uszczypnij mnie, mamo – powiedziała Madeleine, podejrzewając, że to nie dzieje się naprawdę. – Au! Mamo, to bolało – stwierdziła, dziwiąc się, że mama zrobiła to naprawdę.

– Przecież chciałaś – odrzekła Anna.

Wszyscy zaczęli się śmiać.

– Słuchaj: musisz się niestety szybko spakować, bo wylatujesz za cztery godziny. Samolot jest o 21.30. Bilet ci już zarezerwowałem – mówił dalej profesor.

— Tak szybko?! – spytała z radością.

— Tak. To bardzo pilna sprawa. Słuchaj uważnie. Samolot wyląduje w Kairze. Stamtąd odbierze cię profesor Abdul Azar, archeolog z Uniwersytetu Kairskiego. Będzie miał tabliczkę z twoim nazwiskiem. On zawiezie cię do hotelu – poinstruował ją profesor.

— Dobrze. Już się pakuję.

— No to kończę. Będę dzwonił do ciebie codziennie i słuchał twoich relacji. Udanej podróży. Pa!

— Pa.

***

— Co się stało, aniołku? – zapytał zaniepokojony Gabriel.

— Nie uwierzycie. Jeśli to odkrycie naprawdę jest Komnatą Wiedzy, może ono zmienić nasz cały świat. Mogą tam być ukryte największe tajemnice starożytności. Tato! To może zmienić cały nasz światopogląd.

— No i tego się właśnie obawiam. Przecież to może wywołać kompletny chaos – odparł zaniepokojony Gabriel.

— Nie martw się, tatku. Będziemy informować ludzi tylko o takich rzeczach, które nikomu nie zaszkodzą, a ty, Ada, pakuj się. Jedziesz ze mną. Będziesz moją asystentką – dodała, zwracając się do siostry.

— Co? Naprawdę?! – spytała tamta ze zdumieniem.

— Tak! Mówię poważnie.

— Huulaaa! – krzyknęła radośnie Ada, sepleniąc jak wtedy, gdy była dzieckiem.

— Pomogę wam, dziewczynki, w pakowaniu – wtrąciła Anna.

– Dziękujemy, mamusiu – odparły obie jednocześnie i zabrały się za pakowanie.

Gabriel jednak nie był tym wszystkim zachwycony. Wyglądało wręcz na to, że jest mocno zaniepokojony. Widać też było, że wie o czymś ważnym, co mogło być istotne dla sprawy.

Kobiety już w godzinę były spakowane. Gabriel zamówił im taksówkę, a gdy ta przyjechała, dziewczyny szybko się pożegnały.

– To pa, tatko. Pa, mamo – powiedziały, dając rodzicom buziaki.

– Tylko uważajcie na siebie. Ada, dbaj o to, by Madeleine o niczym nie zapominała. Wiesz, jaka ona jest roztrzepana. A ty, Madeleine, pilnuj Adę przed nieuczciwymi ludźmi, bo wiesz, że jest bardzo naiwna – powiedziała Anna, dając im matczyne rady.

– Mamo, przecież nie jesteśmy już dziećmi – oznajmiła Madeleine, marszcząc czoło.

– Dobra, dobra... Ja tam swoje wiem. No to pa, dziewczynki – dodała Anna, machając im na do widzenia.

– Pa, pa, aniołki – pożegnał się Gabriel.

„Żeby tylko wszystko było dobrze" – pomyślał.

Rozdział 5

D ziękuję ci, Madeleine, że mnie ze sobą zabrałaś. Ale z tego wszystkiego zapomniałam o pracy. Jak ja im jutro wytłumaczę, że nie przyszłam? – zagadnęła Ada w drodze na lotnisko.

– Nie martw się, siostra. Jutro zadzwonię do rektora i wszystko mu wytłumaczę. Przecież nie znalazłabym w tak krótkim czasie lepszej asystentki niż ty.

– Dzięki. Jesteś najlepszą siostrą na świecie – odparła Ada.

Cały dojazd do lotniska i odprawa trwały ponad trzy godziny, na szczęście lotnisko było w Krakowie i o tej godzinie już prawie nikogo nie było na drogach więc zdążyły na samolot w ostatniej chwili, ale dziewczynom wydawało się, że było to tylko pięć minut, tak bardzo były podekscytowane. Gdy już siedziały w samolocie, Madeleine powiedziała:

– Przygotuj się, Ada. To będzie najbardziej ekscytująca podróż w twoim życiu, a w moim najbardziej fascynująca ekspedycja.

Po trzech godzinach młode kobiety były już na miejscu, w Kairze.

– Ada, rozglądaj się za jakimś starszym panem, który miał po nas przyjść – powiedziała Madeleine. – Powinien mieć jakiś transparent z naszym nazwiskiem.

– Jest! Jest tam – zawołała Ada.

– Gdzie?

– Stoi przy wyjściu – odparła Ada, ciągnąc Madeleine za rękę i prowadząc ją ku mężczyźnie stojącemu z transparentem, na którym było napisane „Doctor Karpenter".

– To ma być on? Taki przystojniak? – spytała Madeleine, marszcząc czoło z zachwytu.

Mężczyzna był niezwykle przystojny. Wysoki i dobrze zbudowany. Włosy miał koloru kruczoczarnego, oczy równie czarne, a jednocześnie ogniste. Do tego ubrany był w elegancki garnitur.

– Pewnie przysłali jakiegoś posłańca, bo profesor jest zbyt zajęty – odparła Ada. – Zresztą nieważne. Niezłe ciacho z niego – dodała Ada, mając ochotę umówić się z nim.

– Dobra, dobra... Tylko spokojnie – rzuciła Madeleine.

Gdy się zbliżyły, odezwała się do przystojniaka:

– *Good Morning, sir. Do you speak English?*

Pytając go o to, Madeleine potraktowała mężczyznę nieco z góry.

– *Yes, of course* – odparł tamten z czarującym uśmiechem.

– Dzień dobry – kontynuowała. – Jestem doktor Madeleine Karpenter. A to moja siostra i asystentka, Ada.

– Miło mi. Nazywam się profesor Abdul Azar – odpowiedział Egipcjanin szarmanckim głosem, całując je w dłoń.

– Co?! To pan jest... – nie dokończyła Ada, jąkając się.

– Przestań! – wtrąciła Madeleine, szturchając siostrę, by nic więcej nie mówiła.

– Proszę się nie martwić. Już się przyzwyczaiłem do

tego, że ludzie biorą mnie za kogoś innego – powiedział profesor, uśmiechając się lekko do Madeleine.

– Nie! My tylko się zdziwiłyśmy, że pan jest taki młody – odparła Madeleine.

– Dziękuję. Wiem, to znaczy rozumiem. Pani też jest bardzo młodym naukowcem – zrewanżował się profesor Azar.

– Dziękuję – odparła Madeleine, lekko się czerwieniąc.

– Zapraszam panie do samochodu. Odwiozę was do hotelu, a jutro rano przyjadę po was i pojedziemy zbadać komnatę wiedzy.

– Przepraszam, a czy nie można by pojechać tam teraz? – zapytała Madeleine.

– Nie sądziłem, że będzie się pani tak spieszyło. Ale rozumiem. Takie odkrycie nie zdarza się przecież codziennie – odparł. – Dobrze. Możemy pojechać tam od razu.

– To świetnie – odpowiedziała zadowolona Madeleine, była już bowiem bardzo podekscytowana

Gdy dotarli na miejsce, profesor Azar otworzył Madeleine i Adzie drzwi samochodu, wykazując dobre maniery.

– Już jesteśmy. Proszę wysiąść – powiedział szarmancko.

– Dziękujemy bardzo! – odpowiedziały jednocześnie, spoglądając na siebie i uznając, że Azar to prawdziwy dżentelmen. Było to bardzo dziwne, zważywszy na kulturę, z jakiej wywodził się profesor, ale pomyślały sobie, że taki uczony pewnie dużo podróżował i zapewne zna obyczaje różnych kultur.

– Pójdziemy tędy. Proszę uważać na nogi, jest tu bardzo grząsko.

– Dobrze, profesorze. Niesamowite, że ta komnata znajduje się z przodu Sfinksa, pod samymi jego łapami, i że dotąd nikt jej nie odkrył – odparła Madeleine.

– Tak, też jestem tym zaskoczony. Ale powód jest jeden: wcześniejsze rządy Egiptu nie pozwalały na wykopaliska w tym miejscu, więc nie można było sprawdzić, czy coś znajduje się pod Sfinksem. Na szczęście do władzy doszedł rząd, który zezwolił na wykopaliska. Chwała niech będzie Allahowi!

– Tak. Chwała Panu! – odparła, dziękując raczej swojemu Bogu.

– No i jesteśmy. Oto wrota do Komnaty Wiedzy – rzekł dumnie Azar.

– Wrota? To wy jeszcze nie próbowaliście ich otworzyć? – spytała Madeleine, marszcząc czoło ze zdziwienia.

– No pewnie, że nie. To jest właśnie pani zadanie. Nie wiemy, jak odczytać te znaki u góry, a nie chcieliśmy próbować wdzierać się siłą lub wchodzić jakąś metodą na chybił-trafił, poza tym chcieliśmy poznać jeszcze pani zdanie, bo te napisy pod spodem mówią, że jest tylko jedna szansa otwarcia tej komnaty.

– Tak? Dziękuję! Teraz rozumiem. Ma pan rację, profesorze. Te napisy na dole są w staroegipskim. To bardzo rzadko spotykany w wykopaliskach język. Jest tylko parę miejsc, gdzie można natknąć się na takie hieroglify. Jestem zdumiona, że pan też go zna. Przepraszam za brak skromności, ale myślałam, że znam go tylko ja i profesor Jonatan Dowkins z Uniwersytetu Harvarda.

– I ma pani rację. Ja nie znam tego języka – odpowiedział mężczyzna z uśmiechem.

– Jak to? Czy to znaczy, że...

– Tak. On też bierze w tym udział. Nie możemy sobie pozwolić na jakąkolwiek pomyłkę i dlatego postanowiliśmy, że zajmą się tym najlepsi z najlepszych fachowców od pism starożytnych.

– Przecież to taki bałwan i ignorant... – dokończyła Madeleine z lekkim sarkazmem w głosie.

– Tak, też to zauważyłem. Zna go pani? – zapytał.

– Owszem. Już kilka razy miałam „przyjemność" z nim pracować – odparła ze skwaszoną miną.

– Ach, tak. No to już wszystko rozumiem. Jednak mam nadzieję, że i tym razem wykaże się pani wielką cierpliwością i dla dobra sprawy będzie z nim pani współpracować.

– Proszę się nie martwić. Jestem profesjonalistką – odpowiedziała dumnie Madeleine.

Pomyślała sobie jednak, że nigdy więcej nie da sobie odebrać sukcesu, jak to miało miejsce dwa lata temu, kiedy była na stypendium w Stanach, a profesor Dowkins był jej promotorem, a także gdy byli w Meksyku w Tichuakan i odkryli pewien grobowiec dzięki odszyfrowaniu napisów z kamienia stojącego przed wejściem do piramidy, w której się ten grobowiec znajdował. Odszyfrowała je Madeleine i to ona stwierdziła, że musi tam być grobowiec, ale profesor (wtedy jeszcze doktor) postanowił, że to on będzie ojcem tego odkrycia. To właśnie wtedy kobieta obiecała sobie, że już nigdy nie będzie z nim pracować.

– Cieszę się – odpowiedział Azar, lekko uśmiechając się do Madeleine.

– Te hieroglify na górze są trochę dziwne. Jeszcze takich nie widziałam. Wyglądają jak jakieś kółka. Tylko jeden przypomina węża z małych kółek – powiedziała z zakłopotaniem.

– Tak, wiem. Dziwne jest też to, że są tylko cztery hieroglify – odparł Azar.

– Myślę, że ta liczba także coś oznacza. A czy profesor Dowkins ma już jakąś koncepcję? – zapytała, myśląc sobie w duchu, że ten ignorant na pewno nawet nie ma pojęcia, co to może być.

– Nie. Nie ma jeszcze żadnego pomysłu.

To powiedziawszy, profesor Azar zmienił temat:

– Myślę, że są już panie trochę zmęczone. Teraz pojedziemy do hotelu, a jutro spotkamy się wszyscy razem i wspólnie się nad tym zastanowimy. Jeszcze jedno. Zostawiłem pani w pokoju wszystkie materiały dotyczące komnaty i zdjęcia wrót.

– To świetnie. Bardzo dziękuję. W takim razie chodźmy do hotelu – powiedziała Madeleine.

– A co pani o tym wszystkim sądzi? – zapytał Adę, która cały czas tylko się przysłuchiwała i mogła czuć się nieco pominięta.

– Cieszę się, że w końcu zauważyliście, że ja też tu jestem – odpowiedziała z lekką złością.

– Przepraszam panią, ale to dlatego, że jestem tak bardzo podekscytowany tym odkryciem i czasami zapominam o bożym świecie.

– Dobrze, rozumiem. Wiem, że moja siostra doskonale sobie z tym poradzi. Oto, co o tym myślę – powiedziała z dumą Ada.

– Dziękuję ci, Ado, za wiarę we mnie – odparła Madeleine.

– Ja też, pani doktor, myślę tak jak pani siostra – powiedział Azar z nadzieją i uśmiechem na twarzy.

– Dziękuję za miłe słowa. No dobra, jedźmy do hotelu – zakomenderowała Madeleine.

Udali się więc do hotelu, który okazał się być pięciogwiazdkową kwaterą. W związku z tym pokój Madeleine i Ady wyglądał jak apartament. Gdy Azar odprowadził je do pokoju, Ada krzyknęła z zachwytem.

– Ale superpokój!

– To nie pokój, siostrzyczko, tylko apartament – poprawiła ją równie zdumiona Madeleine. – Nie sądziłam, że Uniwersytet Kairski stać na taki wydatek. Ale to bardzo miły gest – dodała.

– Tak wielkie odkrycie sprawia, że nasi goście zasługują na wyjątkowe traktowanie. Poza tym takie piękne kobiety powinny mieć wszystko, co najlepsze – komplementował Azar. – A teraz już zostawiam panie. Proszę odpocząć, bo jutro zabieramy się ostro do pracy. Dobranoc paniom – dodał.

– Dobranoc, panie profesorze – odpowiedziały obie. Mężczyzna wyszedł.

– Ada, jak chcesz, idź się wykąp, a ja jeszcze przejrzę wszystkie materiały, jakie przekazał mi profesor.

– A nie jesteś zmęczona? – zapytała Ada.

– Nie, droga siostrzyczko. Jestem raczej bardzo podniecona i niecierpliwa. No i ciekawa, co jest w tej komnacie, dlatego muszę to jak najszybciej rozszyfrować.

– No dobrze, ale nie siedź za długo, bo jutro będziesz nieprzytomna, a ja, jako twoja asystentka, muszę o ciebie dbać – powiedziała Ada z troską.

– Dobrze. Nie martw się. Nie będę długo siedzieć – odparła i usiadła przy biurku, na którym leżały materiały informujące o tym, kto i jak wpadł na trop tajemniczej komnaty.

Jednak to na razie jej nie interesowało. Wzięła więc do rąk zdjęcia wrót i dokładnie je przeglądała. Zauważyła, że jeszcze niecały tekst został odszyfrowany, więc wzięła laptopa i zaczęła powoli odczytywać napis. Ku jej zdziwieniu okazało się, że brzmi on tak:

Masz jedną szansę, by otworzyć te wrota;
kluczem są te cztery znaki nad wrotami.
Komnata ta jest początkiem końca.
Znajdująca się w niej wiedza jest bardzo niebezpieczna.
Otwarcie komnaty spowoduje koniec świata – apokalipsę.

„To niewiarygodne! Czy ja dobrze tłumaczę? Skąd ludzie w tamtych czasach wiedzieli o końcu świata? A może jest tam jakaś broń, która po otwarciu komnaty ma zniszczyć świat? To musi być coś niespotykanego. Muszę się tam dostać" – pomyślała z jeszcze większym podnieceniem.

– Ale teraz idę już spać – powiedziała szeptem do siebie.

***

Na drugi dzień Madeleine wstała dość wcześnie. Była siódma rano. Najpierw się wykąpała, a potem usiadła przy biurku i zaczęła przeglądać resztę materiałów, które zostawił jej profesor Azar. Jednak nie było tam już niczego ciekawego ani czegokolwiek, czego Madeleine nie wiedziałaby już wczeóniej. Były to głównie materiały opisujące podane przez jasnowidzów możliwe położenie komnaty oraz informacja, że pierwsza wzmianka o komnacie pojawiła się w grobowcu Tutenchamona. Madeleine postanowiła więc lepiej się przyjrzeć tym dziwnym hieroglifom.

„Co one mogą oznaczać? Są bardzo dziwne, ale wydają mi się jakoś znajome. Muszę wytężyć umysł" – rozmyślała. Wtem usłyszała pukanie do drzwi. „Kto to może być? Jest tak wcześnie rano. Przecież nie zamawiałam śniadania do pokoju" – zastanawiała się.

Po otwarciu drzwi Madeleine ujrzała profesora z wózkiem kelnerskim, na którym znajdowało się śniadanie.

– Dzień dobry, pani doktor – powiedział mężczyzna bardzo szarmancko.

– Dzień dobry, profesorze. Zabawia się pan w kelnera? – zapytała ze śmiechem.

– Muszę dbać o swoich szanownych gości – odpowiedział, całując ją w rękę.

– Coraz bardziej mnie pan zaskakuje.

– Tak? W takim razie bardzo się cieszę. Gdy już zjedzą panie śniadanie, zapraszam do sali konferencyjnej numer 20. Będziemy tam na panie czekać z profesorem Dowkinsem.

– Dobrze. Będziemy za około trzydzieści minut, panie profesorze – oznajmiła i od razu poszła obudzić Adę.

– Ada, wstawaj. Szybko! Za pół godziny mamy być w sali konferencyjnej.

– Co?! Chce mi się spać – odpowiedziała dziewczyna, ziewając.

– Wstawaj!

– No dobra, już wstaję... O, widzę, że zamówiłaś śniadanie – powiedziała Ada, przeciągając się i wciąż ziewając.

– To nie ja, tylko profesor Azar.

– Co?! No, to ten profesor chyba na ciebie leci... A sama bym go schrupała.

– Nie gadaj głupstw! Ale jak ci się podoba, to proszę: weź go sobie.

– Serio? Naprawdę ci się nie podoba? – spytała Ada z błyskiem w oku.

– Nie o to chodzi. Nie mam teraz czasu na romanse – odparła zirytowana Madeleine.

– Rozumiem... ale mnie się podoba. Postaram się złapać go w swoje sidła...

– Tylko uważaj, siostrzyczko. W tym facecie jest coś dziwnego – odpowiedziała z lekkim niepokojem Madeleine.

– E tam... gadasz bzdury.

– Tylko nie mów później, że cię nie ostrzegałam.

– Nie martw się. Wszystko będzie dobrze.

– No dobra. My tu tak gadamy, a czas leci. Szybko, Ada! Nie możemy się spóźnić.

Kobiety szybko zjadły śniadanie i udały się do sali, którą wskazał wcześniej profesor. Gdy już znalazły się przed jej drzwiami, Madeleine lekko zapukała.

– Proszę – odezwał się czyjś głos.

– Dzień dobry – powiedziała Madeleine, wchodząc do sali, w której znajdowali się profesorowie Azar i Dowkins. Jej wzrok od razu zatrzymał się na profesorze Dowkinsie.

– Dzień dobry paniom – odpowiedzieli obaj mężczyźni.

– Proszę usiąść. Poznajcie się. To jest profesor Dowkins, a... No tak, zapomniałem, że państwo się już znają. Ale pani Ada jeszcze nie poznała pana profesora.

– Witam cię, Madeleine. Dzień dobry, pani Ado – powiedział Dowkins, lekko uśmiechając się do Madeleine.

– Dobrze, jeśli można, zaczynajmy. Czy dowiedziały się panie czegoś więcej na temat komnaty i tego co jest tam napisane? Panie profesorze, może pan pierwszy... Jest pan tu dłużej od pani doktor – powiedział pewnym głosem Azar.

– Odczytałem tylko parę słów, które mówią, że mamy jedną próbę na otwarcie tej komnaty. Dalszej części inskrypcji na razie nie mogę odszyfrować. Jest trochę niewyraźna, ale jej odczytanie to tylko kwestia czasu – powiedział profesor Dowkins, bez przerwy patrząc na Madeleine i bojąc się jej reakcji. Nie wiedział bowiem, czy młoda konkurentka go nie wyśmieje, ponieważ dobrze pamiętał, że przywłaszczył sobie jej poprzedni sukces.

– Tak? Więc słabo się starasz, Dowkins – powiedziała Madeleine z szyderczym uśmiechem.

– Czy to znaczy, że dowiedziała się pani czegoś więcej? – zapytał profesor Azar z radością i podnieceniem.

– Tak. Odczytałam całą resztę.

– Świetnie! – krzyknął Azar. – W takim razie proszę nas nie trzymać w niepewności i powiedzieć, co tam jest napisane.

– Napisano tam, że ta komnata jest bardzo niebezpieczna, i gdy się ją otworzy, grozi nam koniec świata.

– To niewiarygodne! Na pewno to właśnie zapisano? – spytał Azar, marszcząc brwi.

– Na pewno – odpowiedziała z dumą i radością Madeleine, ciesząc się, że to ona, a nie Dowkins, mogła się pochwalić swoimi umiejętnościami.

– To niebywałe, że w tamtych czasach wiedziano już o końcu świata... – dodał Azar.

– Tak, też jestem tym zaskoczona.

– A czy udało się pani rozszyfrować te znaki nad drzwiami? – spytał z nadzieją w głosie mężczyzna.

– Nie. Te znaki są trochę dziwne. One nijak się mają do całej reszty. Są jak z innej bajki. Ale proszę się nie martwić. Poradzę sobie i z nimi – odpowiedziała z dumą.

– Wiem. Wierzę w panią – odparł z uśmiechem Azar. – A czy pan, profesorze Dowkins, zgadza się z tym tłumaczeniem?

– Tak, teraz też to widzę. To poprawne tłumaczenie. A co do tych znaków u góry, również sądzę, że są bardzo dziwne.

– Dobrze, w takim razie kończmy tę debatę i chodźmy zobaczyć wszystko na żywo. Może tam przyjdzie coś państwu do głowy – powiedział profesor Azar. – A tak na marginesie, proponuję, byśmy sobie mówili po imieniu. To nam ułatwi komunikację – dodał.

– Dobrze! – odpowiedzieli wszyscy.

– Tak więc chodźmy – odparła Madeleine.

Kobieta miała teraz w głowie tylko jedno: żeby to jej udało się odgadnąć, co przedstawiają tajemnicze znaki. Poza tym jak najszybciej chciała zobaczyć, co kryje komnata. Czuła, że jest to wyjątkowe miejsce.

Po około godzinie spędzonej przy Sfinksie całe towarzystwo schodziło schodami do pomieszczenia, w którym stał strażnik pilnujący komnaty. Nagle usłyszeli krzyk.

– Ratunku! Pomocy!

– Już idziemy! krzyknęła Madeleine. – Chodźmy szybko. Tam się coś dzieje – dodała pospiesznie. – Jezu, co ci się stało?! – zapytała z przerażeniem.

Była cała roztrzęsiona widokiem krwawiącej rany w brzuchu strażnika. Nie był to dla niej zbyt przyjemny widok.

– To, to był... – wyjąkał strażnik.

– No kto?

– Zakonnik.

– Jaki zakonnik? – zapytała, nie mogąc uwierzyć własnym uszom. Pomyślała też, że z powodu utraty krwi strażnikowi coś się pomieszało. A ta bez przerwy uchodziła z rany.

– Powiedz, jaki zakonnik! – krzyknął profesor Azar, który wcześniej, nim do nich podszedł, zauważył, że ktoś ucieka drugą stroną tunelu, i przez chwilę biegł za nim. Nie zdążył jednak dogonić napastnika, ale zauważył, że sprawca miał na sobie habit.

– Na Boga... to jezuita! – powiedział ostatnim tchem strażnik.

– Obudź się! Obudź! Nie umieraj! – krzyczała Madeleine, szarpiąc strażnika tak, jak gdyby chciała go obudzić.

– Przykro mi, Madeleine, ale on już nie żyje... – oznajmił profesor Azar, sprawdziwszy puls.

– Jak można kogoś zabić w ten sposób?! Co to za człowiek?! – spytała z płaczem, nie mogąc uwierzyć w to, co widzi.

– Tak, wiem. Też tego nie rozumiem, siostrzyczko – powiedziała Ada, przytulając Madeleine.

Dowkins stał z boku. Był tym wszystkim bardzo przestraszony; nie mógł wydać z siebie głosu. Nigdy wcześniej nie był świadkiem morderstwa.

— Chodźmy na górę! Trzeba zawiadomić policję — powiedział Azar.

— Idźcie! Ja tu z nim zostanę do przyjazdu karetki — odpowiedziała Madeleine.

— Dobrze. Jak sobie życzysz — odparł Azar.

Rozdział 6

Gdy już zjawiła się karetka i policja, profesor Azar poprosił, by na razie nic nikomu nie mówić o morderstwie, przynajmniej do czasu otwarcia komnaty. Chodziło o to, by władze nie zabroniły dalszego badania wrót. Profesor zobowiązał się także, że sam zawiadomi rodzinę zmarłego.

Porucznik Ajub Abbas na szczęście wyraził zgodę, ale powiedział jeszcze, że uczeni mają tylko parę dni, a on samo śledztwo zaczyna od zaraz.

– Co pan widział, panie profesorze Azar? – zapytał porucznik.

– Nie za wiele, ale był tam jakiś zakonnik, który uciekł. Pobiegłem za nim, ale nie zdołałem go dogonić. Strażnik powiedział przed śmiercią, że to jezuita. To bardzo dziwne, że zakonnik z tak zacnego klasztoru mógł kogoś zabić – odpowiedział Azar zatroskanym głosem. – Tym bardziej, że zakon ten jest w Egipcie dopiero od jakichś czterech lat i, o ile pamiętam, to było o tym głośno w mediach, bo początkowo władze miasta nie zgadzały się na to, by ten zakon wybudował tu swój klasztor.

– Może to był tylko ktoś przebrany za jezuitę? – zastanawiał się porucznik.

– Możliwe! Też bym się skłaniał ku tej wersji, bo nie chce mi się wierzyć w to, by... – nie dokończył zdania, bo to, o czym myślał, nie chciało mu przejść przez usta.

– Dobrze. Niech pan się zaopiekuje swoimi przyjaciółmi, a ja wybiorę się do klasztoru i zapytam, czy zakonnicy nie mają z tym przypadkiem czegoś wspólnego – odparł porucznik.

– Wracajmy już do hotelu. Za dużo wrażeń na dziś... – powiedział z zatroskaniem Azar

Następnie, widząc jak bardzo Madeleine wszystko przeżywa, wziął ją w ramiona i mocno przytulił.

– Dobrze więc... chodźmy – odpowiedziała Ada.

Szli, a później jechali, w całkowitym milczeniu, bo był to dla nich wszystkich wielki szok. Po powrocie do hotelu Azar i Dowkins najpierw odprowadzili kobiety do pokoju, a później poszli do siebie.

– Połóż się, Madeleine. Za dużo wrażeń na dziś – powiedziała z troską Ada.

– Masz rację. Położę się – odparła ze smutkiem w głosie Madeleine.

Jednak Ada nie miała zamiaru iść spać. Postanowiła poczekać, aż Madeleine uśnie, a następnie udała się do pokoju Azara, bo chciała porozmawiać z nim na temat dzisiejszego zdarzenia.

Gdy Azar usłyszał pukanie do drzwi, zapytał:

– Kto tam?

– To ja, Ada. Otwórz – odpowiedziała cichym głosem.

– Co ty tu robisz? Przecież miałyście iść spać – spytał ogromnie zaskoczony profesor.

– Nie mogłam zasnąć. Muszę z kimś o tym wszystkim

pogadać, a Madeleine już śpi – skłamała Ada, bo nie tak przedstawiały się fakty. Jej wizyta u Azara miała inny cel. Kobieta chciała mu przedstawić pewien plan.

– No dobra, wejdź – powiedział zakłopotany Azar.

– Słuchaj – zaczęła Ada – ja myślę, że sami musimy się tym zająć i odszukać sprawcę. Zresztą, zawsze marzyłam o tym, by zostać detektywem, ale jakoś się nie złożyło. Teraz mam okazję.

– Myślę, że to należy do policji, a nie do nas. Jednakowoż... też zżera mnie ciekawość. Szczerze mówiąc, chciałem właśnie wyjść i pojechać do klasztoru jezuitów – powiedział profesor.

– Super – krzyknęła Ada. Na jej twarzy widać było podniecenie i chęć przygody.

– Ciszej! Nie krzycz tak. Jeśli chcesz jechać ze mną, w porządku. Tylko pamiętaj: nikt, nawet twoja siostra, nie może o tym wiedzieć. Jeśli chodzi o twoją siostrę, to nie powinna o tym wiedzieć, bo pewnie będzie się o ciebie bała.

– Dobrze, nikomu nie powiem. Będzie to nasza pierwsza wspólna tajemnica – odparła, uśmiechając się lekko do profesora.

Ada pomyślała sobie teraz, że dzięki wspólnemu przedsięwzięciu będzie mogła zbliżyć się do Azara.

– No to ruszajmy – dokończył Azar.

Tak ruszyli w swoją pierwszą wspólną przygodę.

Klasztor od hotelu dzieliło pół godziny drogi samochodem. Zabudowania klasztorne miały dziwny kształt. Klasztor wyglądał jak trójkąt i miał trzy piętra, a jego mury też były zbudowane w kształcie trójkąta, tyle że odwróconego przeciwnie w stosunku do trójkąta klasztoru, i bardziej przypominały grot strzały, co od razu rzuciło się w oczy Adzie i Azarowi.

– Dziwny ten klasztor, co? – zapytała ze zdziwieniem Ada.

– Fakt. Jeszcze nie widziałem tak zbudowanego klasztoru – odpowiedział Azar.

– To ty nigdy tu nie byłeś? – zapytała, dziwiąc się, że mężczyzna nie był dotąd w tym miejscu, skoro mieszka w okolicy.

– Nie. Pewnie myślisz sobie, że to dziwne, ale ja tu mieszkam dopiero od dwóch lat. Urodziłem się w Jerozolimie, a do Egiptu przyjechałem, bo chciałem znaleźć tę komnatę. I gdy mimo wielu starań nie udawało mi się jej odszukać, wówczas Uniwersytet Kairski zaproponował mi posadę wykładowcy, więc przyjąłem ją, by móc dalej prowadzić wykopaliska.

– Aha, rozumiem. Ej, zobacz! Ktoś tam nie śpi – powiedziała szeptem Ada, widząc światło w oknie, które właśnie się zapaliło.

– Przecież to już pierwsza w nocy – odparł profesor i patrzył, co się będzie działo dalej.

Po chwili zapaliło się więcej świateł, tak jakby wszyscy zaczęli wstawać, ale nie było zbyt wiele widać, bo w oknach znajdowały się zasłony.

– Może przejdziemy przez mur i zobaczymy, co się tam dzieje? – zaproponowała Ada.

– Dobra. No to wskakuj! – odpowiedział mężczyzna i podsadził Adę, by mogła wejść na mur, a następnie sam przezeń przeskoczył.

Kiedy oboje znaleźli się za murem, powoli zaczęli skradać się do budynku, ale gdy już prawie byli przy drzwiach klasztoru, Ada nagle zauważyła, że Azar ledwo idzie. Wyglądał, jakby tracił siły i miał za chwilę zemdleć.

– Co ci jest? – zapytała z troską kobieta.

– Nie wiem... Tracę siły. Muszę stąd natychmiast wyjść... – odparł Azar, nie mogąc zrozumieć, co się z nim dzieje.

– Dobrze, to chodź, zaprowadzę cię do samochodu, a później sama się rozejrzę.

– Okay – odparł.

Kiedy już wyszli poza mur, Azar zaczął odzyskiwać siły, ale postanowił udawać przy Adzie, że nadal źle się czuje. Domyślał się bowiem, co mu jest, ale nie miał zamiaru zdradzać tego towarzyszce.

– Dobra, to połóż się, a ja pójdę na przeszpiegi – powiedziała dziewczyna.

– Dobrze. Idź, tylko uważaj na siebie – odpowiedział z troską.

Wróciwszy pod mur klasztoru, Ada zaczęła szukać drzwi, przez które mogłaby wejść do środka. Na szczęście dość szybko znalazła: były to drzwi od zaplecza, przez które zakonnicy wychodzili wyrzucać śmieci. Sprawdziła cicho, czy są otwarte, a następnie weszła do środka. Za drzwiami był jakiś korytarz, na którego końcu znajdowały się następne drzwi, te zaś były lekko uchylone. Ada postanowiła więc po cichutku zakraść się i zobaczyć, co się tam dzieje. Idąc tak, rozglądała się i zauważyła, że po jej prawej stronie jest kuchnia, a po lewej jadalnia. Gdy była już blisko następnych drzwi, zobaczyła, że pali się za nimi światło. Zdała sobie też sprawę, że ktoś tam jest, bo usłyszała jakieś głosy. Postanowiła więc, że zobaczy, co się tam dzieje. Spojrzała przez dziurkę od klucza. Ku swemu zaskoczeniu zobaczyła, jak wszyscy zakonnicy idą z pochodniami i mówią jakąś modlitwę w dziwnym języku. Domyśliła się, że może to być język hebrajski.

„Gdzie oni idą i po co? Muszę to sprawdzić" – pomyślała i zaczekała, aż wszyscy odejdą, a następnie ruszyła za nimi. Zobaczyła, że mnisi schodzą krętymi schodami do piwnicy. Idąc dalej za nimi, zauważyła, że w jednym z pomieszczeń leżą jakieś sutanny; pomyślała, że przebierze się w jedną z nich, a wtedy niezauważona będzie mogła dołączyć do procesji. Tak też zrobiła. Gdy już była w piwnicy razem z zakonnikami, pierwsze, co bardzo ją zdziwiło, to fakt, że piwnica była przeogromna i miała kształt trójkąta równoramiennego, który był ze dwa razy większy od klasztoru i najprawdopodobniej kończył się już za murami. Analizując to wszystko, wydało jej się, że widziała już kiedyś taki kształt, ale nie mogła teraz przypomnieć sobie gdzie. Po chwili wszyscy jezuici ustawili się w kole w samym środku, gdzie stał jakiś ołtarz, i nadal modlili się w tym dziwnym języku. Jeden z prowadzących nagle wyciągnął spod sutanny coś, co przypominało sztylet w pochwie. Następnie dobył go i wtedy Adę zmroziło, bo zobaczyła, że ten sztylet jest cały we krwi. Kobieta od razu uznała, że jest to sztylet, którym został zamordowany strażnik. Stojąc jak wryta, przyglądała się dalej temu, co robią mnisi. Prowadzący podszedł do ołtarza, na którym stał kielich z winem, następnie wkropił do niego krew ze sztyletu, a potem uniósł kielich. Wtedy wszyscy mnisi uklękli, ale nie Ada, która stała jak wryta, nie mogąc uwierzyć w to, co widzi. „Kim oni są? Co oni wyprawiają" – myślała.

Nagle ktoś pociągnął ją za sutannę, mówiąc coś po łacinie. Wtedy na chwilę się ocknęła i szybko uklękła. Chociaż nie znała łaciny, to domyśliła się, że chodzi o to, by uklękła. Teraz zobaczyła, jak prowadzący wypił łyk z kielicha, by po chwili podać go następnemu zakonnikowi, a każdy z nich, popijając, wypowiadał dwa słowa: „Na Judę".

To jeszcze bardziej zdenerwowało Adę, która po chwili uświadomiła sobie, że ten kielich wnet dojdzie do niej. A przecież ona nie miała zamiaru z niego pić. „Muszę wiać!" – pomyślała. Zaczęła po cichu skradać się na czworakach w stronę schodów, a że była z tyłu i blisko tych schodów, to przez chwilę nikt nie zwrócił uwagi, że wychodzi. Gdy jednak była już na schodach, nagle ktoś krzyknął.

– Intruz!

To słowo zostało wypowiedziane w języku angielskim, dzięki czemu Ada świetnie je zrozumiała, i zaczęła uciekać.

„Muszę wiać, i to szybko, bo jak mnie złapią, to pewnie zjedzą" – pomyślała półżartem, choć sytuacja wcale nie była zbyt wesoła. Gdy zaczęła uciekać, paru mnichów pobiegło za nią, a reszta została w piwnicach i dalej odprawiała ten dziwny rytuał. Gdy Ada wybiegła z klasztoru, zaczęła krzyczeć.

– Odpal samochód! Szybko!

Gdy zorientowała się, że zakonnicy są już bardzo blisko niej, tak mocno przyspieszyła, że sama nie wiedziała, jak udało jej się tak szybko pokonać wysoki mur klasztorny.

– Wskakuj! – zawołał Azar, który już ustawił się pod murem.

Ada wskoczyła do samochodu jak zawodowy kaskader.

– Bogu dzięki, udało mi się stamtąd uciec – powiedziała z westchnieniem.

– Mów szybko, co tam się działo – powiedział Azar z niecierpliwością w głosie.

– Poczekaj chwilę... Muszę nabrać tchu... Zaraz ci wszystko opowiem – odparła.

Wkrótce zaczęła mu opowiadać, a on zaczynał teraz wszystko rozumieć. Wiedział już, dlaczego tracił siły, i domyślał się, kim są przebrani za jezuitów ludzie, ale przed Adą udawał wielce zaskoczonego.

– Muszę to wszystko opowiedzieć Madeleine – stwierdziła Ada.

– Dobra, ale powiemy jej o tym dopiero wtedy, gdy otworzymy komnatę, bo może ją to rozproszyć – odparł Azar.

– W porządku – zgodziła się Ada.

Gdy dojechali do hotelu, każde z nich od razu poszło do swojego pokoju. Ada weszła po cichutku, tak by nie zbudzić Madeleine, i szybko położyła się spać.

Rano pierwsza wstała Madeleine i gdy zobaczyła, jak smacznie śpi Ada, pomyślała sobie, że nie będzie jej budzić, bo o tym, co wczoraj widziała, lepiej już zapomnieć. Sama zaś usiadła do komputera, by rozwiązać zagadkę dotyczącą znaków.

„No dobra. Zacznijmy od przyjrzenia się tym znakom" – pomyślała i zaczęła analizować jeden po drugim. Przyglądając się im uważnie, stwierdziła, że jeden wygląda jak słońce, drugi jak cząsteczka atomu, trzeci przypomina strzałę, a czwarty węża.

„Ale co one, u licha, mogą symbolizować?" – rozmyślała, coraz bardziej się irytując.

Po paru godzinach pracy postanowiła zrobić sobie krótką przerwę i wejść na swoją skrzynkę mailową. Na portalu jej wzrok od razu przykuła reklama, w której były zdjęcia kręgów w zbożu. Jeden z nich łudząco przypominał jej znak z komnaty – też wyglądał jak atom. Kobieta była tym bardzo podekscytowana. Pomyślała, że to może być klucz do otwarcia komnaty, więc zaczęła szukać w Internecie informacji o innych znakach w zbożu. Ku swemu zdumieniu znalazła jeszcze trzy znaki, które łudząco przypominały te z Komnaty Wiedzy. Szybko je skopiowała i zaczęła się im uważniej przyglądać.

„To wręcz niesamowite" – myślała zaszokowana. Okazało się bowiem, że znalezione przez nią znaki łączą te same daty powstania, z tym że pojawiały się one dokładnie w odstępach jednorocznych. Wspólną datą był tu 31 sierpnia, a pierwszy znak powstał w 2009 roku. Czytając dalej, Madeleine zauważyła, że znaki powstały w biblijnych miastach, takich jak Betsaida, Betlejem, Kariot i Jerozolima.

„Co może łączyć te miasta?" – myślała, wytężając umysł. Szybko wpadła na pomysł, by sprawdzić, jakie fakty historyczne miały w nich miejsce. Najpierw przyjrzała się Betsaidzie. W tym mieście urodził się święty Jan, który napisał Apokalipsę.

– Eureka! – krzyknęła. – No jasne! Przecież na wrotach jest napisane o apokalipsie.

Madeleine szybko połączyła ze sobą zebrane fakty. Wtedy wszystko stało się dla niej czymś oczywistym. Betlejem to miejsce narodzin Jezusa. W Kariocie przyszedł na świat Judasz. Tylko w Jerozolimie nie urodził się żaden z apostołów, ale Madeleine postanowiła nie zawracać sobie tym głowy. Zamiast tego szybko znalazła w Internecie werset z Pisma Świętego i zaczęła czytać Apokalipsę świętego Jana. W ten sposób doszła do fragmentu mówiącego o czterech jeźdźcach apokalipsy, w którym było napisane:

I ujrzałem:
gdy Baranek otworzył pierwszą z siedmiu pieczęci,
usłyszałem pierwsze z czterech Zwierząt
mówiące jakby głosem gromu:
«Przyjdź!»
Zaraza:
I ujrzałem:
oto biały koń,
a siedzący na nim miał łuk.
I dano mu wieniec,
i wyruszył jako zwycięzca, by [jeszcze] zwyciężać.
Wojna:
A gdy otworzył pieczęć drugą,
usłyszałem drugie Zwierzę mówiące:
«Przyjdź!»
I wyszedł inny koń barwy ognia,
a siedzącemu na nim dano odebrać ziemi pokój,
by się wzajemnie ludzie zabijali -
i dano mu wielki miecz.
Głód:
A gdy otworzył pieczęć trzecią,
usłyszałem trzecie Zwierzę, mówiące:
«Przyjdź!»
I ujrzałem:

a oto czarny koń,
a siedzący na nim miał w ręce wagę.
I usłyszałem jakby głos w pośrodku czterech Zwierząt,
mówiący:
«Kwarta pszenicy za denara
i trzy kwarty jęczmienia za denara,
a nie krzywdź oliwy i wina!»
Śmierć:
A gdy otworzył pieczęć czwartą,
usłyszałem głos czwartego Zwierzęcia mówiącego:
«Przyjdź!»
I ujrzałem:
oto koń trupio blady,
a imię siedzącego na nim Śmierć,
i Otchłań mu towarzyszyła.
I dano im władzę nad czwartą częścią ziemi,
by zabijali mieczem i głodem, i morem, i przez dzikie
zwierzęta*.

Madeleine zrozumiała, że cztery znaki z wrót komnaty symbolizują czterech jeźdźców apokalipsy. Pierwszy symbolizował wojnę – archeoloźka od razu skojarzyła to ze znakiem przypominającym atom. Drugi symbolizował zarazę; anioł ten miał łuk, którego kształt można było przyporządkować do znaku ze strzałami. Trzeci symbolizował głód, co pasowało do znaku z promieniami słonecznymi, ponieważ zbyt dużo słońca bywa zapowiedzią susz, a co

---

*   Cytat za: Biblia Tysiąclecia, Poznań 2003 (http://biblia.deon. pl/index.php). Księga Apokalipsy 6,1-8.

za tym idzie, niesie głód. Czwarty zaś znak symbolizował śmierć, co idealnie pokrywało się ze znakiem węża.

Madeleine była tym odkryciem bardzo podekscytowana, ale postanowiła sprawdzić wszystko jeszcze raz, bo wiedziała, że emocje są złym doradzą. Gdy wreszcie upewniła się, że jej teoria jest słuszna, postanowiła szybko zbudzić Adę i wszystko jej opowiedzieć.

– Ada! Ada, wstawaj! – zawołała, potrząsając śpiącą siostrą.

– Co się stało? – spytała Ada, szeroko ziewając i przeciągając się.

– Mam to! Wiem, jak otworzyć komnatę – powiedziała radośnie Madeleine.

– Tak? To świetnie! – odparła Ada, od razu się zrywając z łóżka.

– Chodź, wszystko ci pokażę – oznajmiła Madeleine, ruszając szybko do salonu.

Usłyszawszy od siostry opowieść o całym odkryciu, Ada była tym wszystkim głęboko poruszona, zwłaszcza że wiedziała o czymś, o czym Madeleine nie miała pojęcia. Asystentka postanowiła jednak, że powie wszystko swojej starszej siostrze dopiero po otwarciu komnaty, zgodnie z umową zawartą z profesorem. Chociaż trzeba też przyznać, że miała złe przeczucia; obawiała się, czy przypadkiem to, co zostało napisane na wrotach, nie okaże się prawdą.

– Ada, chodźmy szybko do Azara! – krzyknęła Madeleine, ale zauważyła, że Ada jest myślami gdzie indziej, więc zawołała jeszcze głośniej: – Ada!

– Tak? Och, sorry. Zamyśliłam się... – odpowiedziała dziewczyna. – No dobra, to chodźmy.

– O czym tak rozmyślałaś? – zapytała Madeleine.

– O niczym – odparła tamta wymijająco.

Przed oczyma cały czas miała wydarzenia wczorajszego wieczoru i ogarnęła ją ochota, by opowiedzieć Madeleine o wszystkim. Obiecała jednak Azarowi, że zrobi to dopiero wtedy, gdy komnata będzie już otwarta. Tak rozmyślając, nawet nie zauważyła, kiedy wraz z siostrą znalazła się przy drzwiach pokoju Azara.

– Azar, otwieraj! – krzyknęła Madeleine, mocno i z dużą częstotliwością pukając do drzwi.

– Już otwieram! Pali się, czy co? – z lekką irytacją w głosie zawołał mężczyzna.

– Cześć, Azar! – powiedziały obie naraz.

Madeleine była tak zaaferowana swoim odkryciem, iż nawet nie zauważyła, że Azar jest prawie nagi. Był przepasany jedynie ręcznikiem. Ada rzecz jasna zauważyła to od razu i bardzo jej się to spodobało, bo Azar wyglądał bardzo apetycznie. Jego sylwetka wyglądała tak, jakby był kiedyś pływakiem; miał też lekki zarost na brzuchu i klatce piersiowej, co jeszcze bardziej się jej spodobało. Tymczasem Madeleine po wtargnięciu do pokoju mężczyzny wpadła w słowotok i nie przestawała mówić, a gdy już wszystko mu opowiedziała, zapytała:

– I co ty na to?

– Doskonale. Świetna robota, Madeleine – odpowiedział.

I dopiero w tym momencie Madeleine zorientowała się, że Azar stoi przed nią prawie nagi.

– Ojej! Przepraszam – powiedziała, szybko odwracając głowę, bo trochę się zarumieniła i zmieszała.

– Nic nie szkodzi. Nie krępuj się – odparł Azar, uśmiechając się lekko. – Tak szybko wparowałaś do mojego pokoju, że nawet nie zdążyłem wam powiedzieć, że właśnie wyszedłem spod prysznica.

– Jezu, naprawdę przepraszam – powtórzyła Madeleine.

– Nie przejmuj się. To nic takiego – odpowiedział, puszczając oko do Ady.

– No i co o tym wszystkim myślisz? – ponownie zapytała Madeleine.

– Myślę, że trafiłaś w dziesiątkę – z radością na twarzy odparł Azar.

– Ale czy nie uważasz, że fakt, iż Jerozolima jest miejscem, które nie za bardzo pasuje do mojej układanki, może podważyć moją teorię? – zapytała.

– Jestem pewien, że nie. W końcu jest to też bardzo ważne miejsce biblijne – odparł.

Azar wiedział wszak, że Jerozolima to miasto, w którym to on się urodził, i że to właśnie o niego w całej tej układance chodzi. Na razie nie miał jednak zamiaru nikomu o tym mówić.

– To trochę mnie uspokoiłeś... Więc jak? Idziemy otwierać komnatę? – zapytała z ekscytacją w głosie Madeleine.

– Tak, za chwilę pójdziemy. Tylko się ubiorę – odparł z uśmiechem Azar.

* * *

Gdy byli już prawie przy komnacie, całą trójkę ogarnęło podekscytowanie i zniecierpliwienie.

Także profesor Dowkins wyglądał na bardzo podnieconego, chociaż był trochę zawiedziony, że to nie on znalazł rozwiązanie, a jeszcze bardziej złościł go fakt, że Azar mocno chwalił Madeleine, z niego zaś trochę sobie dworował.

– No i jesteśmy na miejscu – odezwała się Madeleine.

– To będzie najważniejsza chwila w historii ludzkości – powiedział z entuzjazmem Azar.

Znalazłszy się przed komnatą, jeszcze raz wszystko sprawdzili.

– No, Ada, masz włączoną kamerę? Madeleine, jesteś gotowa do otwarcia komnaty? – zapytał Azar.

– Tak! Tak! – odpowiedziały wspólnie.

– W takim razie zaczynajmy – powiedział z wielkim entuzjazmem.

W tej samej chwili Madeleine zaczęła przyciskać w odpowiedniej kolejności znajdujące się na wrotach znaki. Gdy skończyła, wszyscy zamarli w oczekiwaniu na to, co się stanie. Kiedy zobaczyli, że wrota zaczęły się odsuwać w prawą stronę, ogarnęła ich wielka radość – byli w euforii. Madeleine uroniła nawet łzę. Gdy wrota były już otwarte, wzięła lampę oliwną i pierwsza weszła do środka. Reszta towarzystwa, również mając w rękach lampy, a także latarki, podążyła śladem Madeleine. Po wejściu do komnaty wszyscy rozejrzeli się wokoło. To, co zobaczyli, wprawiło ich w osłupienie.

– To jest coś pięknego – oznajmiła z zachwytem Madeleine.

– Tak, to prawda – odparła Ada, a jej oczy z wrażenia zrobiły się ogromne.

– Ale gdzie tu są jakieś księgi lub papirusy? Przecież to komnata wiedzy – powiedział zaskoczony Dowkins.

– Czemu jesteś taki niecierpliwy? Poczekaj. Zaraz zobaczymy. Może gdzieś tu znajduje się jakieś wejście do innego pomieszczenia – odparł Azar.

– Popatrzcie. Ściany i sufit tej komnaty wykonane są chyba z diamentu, a podłoga ze szmaragdu. To jest po prostu coś niesamowitego – powiedziała Madeleine.

– To prawda! To jest przepiękne... – odparła Ada, zachwycając się tym, co widzi.

– Podejdźcie na środek. Jest tu coś w rodzaju kamienia, na którym wyryte zostały czyjeś dłonie – powiedział Dowkins.

– Faktycznie! To bardzo ciekawe. Co to może być? Sprawdzę... – powiedziała Madeleine, kładąc dłonie na obrobionym kamieniu.

W tym momencie na opuszkach palców poczuła lekkie ukłucie. Nagle tuż obok nich otworzyła się przegródka, z której wysunęła się świetlista kula. Mieniła się wszystkimi kolorami tęczy, których blask wypełnił od razu całą komnatę. Oświetlone kolorowo ściany i sufit, który też wydawał się wykonany z diamentu, wyglądały bajecznie, ale po chwili kolory zaczęły się ze sobą mieszać. Za moment obecni w sali zauważyli, że w powietrzu zaczął się tworzyć jakiś obraz. Po chwili był on już bardzo wyraźny, a to, co przedstawiał, zdumiało wszystkich obecnych. Było to coś w rodzaju filmu, na którym pokazane było najpierw miasto Majów z okresu jego najwyższej świetności. Największa piramida miasta, zwana Piramidą Słońca, wyglądała cudownie. Odnosiło się wrażenie, że została dopiero co wybudowana. Następnie ukazany został plan pomieszczeń ze wskazaniem miejsca, gdzie znajduje się komnata podobna do tej, w której właśnie przebywali. Kolejnym miejscem, które zostało pokazane, były Chiny i Piramida Cesarza, która nie została jeszcze odkryta, lecz na filmie również wyglądała na dopiero co zbudowaną, ale prezentowała się jeszcze piękniej niż Piramida Słońca. Pokrywało ją coś w rodzaju srebra. Jej ściany były zupełnie płaskie, a widok zapierał dech w piersiach. Dalej zostało pokazane miejsce położenia kolejnej komnaty, ale naprawdę niewiarygodne było to, co zobaczyli chwilę później. Z wrażenia oczy niemal wyskoczyły im wszystkim z orbit. Nie mogli uwierzyć w to, co widzą: obraz przedstawiał cudowne miasto. Jego budynki były pokryte podobnym materiałem jak ten, który obserwowali na ścianach komnaty. Niektóre z nich były bardzo wysokie, niemal jak współczesne drapacze chmur, z tym że miały stożkowaty kształt. Jednak szczególną uwagę zebranych przykuł pałac, który znajdował się pośrodku miasta i był zbudowany z kości słoniowej, ozdobiony złotem i przeróżnymi kamieniami szlachetnymi, co wyglądało tak niewiarygodnie, że wszyscy mieli wrażenie, jak gdyby znaleźli się w raju. Nagle zdali sobie sprawę, że obserwowane przez nich miasto jest najprawdopodobniej zaginioną Atlantydą. Potwierdzeniem ich przypuszczeń było zakończenie filmu, które pokazywało miasto z lotu ptaka. Ujrzeli kontynent, na którym się ono znajdowało, a gdy obraz zniknął, Madeleine odruchowo podeszła do ściany, by ją dotknąć i sprawdzić, z czego jest wykonana.

W tym momencie niespodziewanie pojawił się nowy obraz. Wyglądał jak hologram, który wyłonił się z bardzo małego ekraniku ze ściany, co sprawiło, że Madeleine nieco się przestraszyła i odskoczyła od ściany.

– Zobaczcie! – krzyknęła do pozostałych.

– To zdumiewające! – powiedział Azar.

– Niewiarygodne... Spójrzcie na to, co pokazuje hologram! – wtórował mu Dowkins.

– Boże wszechmogący! Jak to możliwe? – zapytała Ada.

– To musiały być przecież czasy średniowiecza... Jak to
możliwe, że te filmy są tu wyświetlane? – dodała Madeleine
i postanowiła dotykać również inne punkty na ścianie.

To, co zobaczyła, zdumiało ją jeszcze bardziej. Inne punk-
ciki przedstawiały coraz to inne epoki. Łącznie z ich własną.

– Azar, dotknij ściany po twojej stronie – zwróciła się
do mężczyzny, który stał od niej bardziej na lewo.

– Niesamowite! Przecież to jest epoka kamienia łupa-
nego... Skąd się tam wzięły piramidy? – dziwił się Azar,
patrząc na wszystkie hologramy, które się wyświetliły.

– Już wszystko rozumiem – powiedziała Madeleine. –
Każdy punkcik na ścianie to jakaś scena z różnych epok.
Uszeregowane są po kolei i zaczynają się od lewej strony
ściany, a kończą po prawej, czyli przemieszczają się zgodnie
z ruchem wskazówek zegara. Teraz rozumiem, dlaczego
jest to Komnata Wiedzy. Zapisano tu wszystko o dziejach
ludzkich, począwszy od prahistorii człowieka, a na naszych
czasach kończąc. To po prostu jakaś forma kamery, która
cały czas nagrywa rzeczywistość...

– Masz rację, Madeleine – odparł Dowkins – ale to nie
tłumaczy, jakim cudem i przez kogo ta komnata została
zbudowana.

– Tak... To niewiarygodne dzieło i nie wiem, na jakiej
zasadzie działa. Uważam jednak, że mogli ją zbudować
Atlanci – odpowiedziała Madeleine.

– Niebywałe! Dziękuję Bogu, że mogłam tu być i zobaczyć to wszystko... – powiedziała Ada, oszołomiona tym, co widzi.

– Podziękuj raczej siostrze, że cię tu ze sobą zabrała – parsknął Dowkins. – Boga nie ma. To my wymyśliliśmy sobie jakąś wyższą istotę, która rzekomo nas stworzyła, bo nie umieliśmy wyjaśnić pewnych zjawisk. Tak w ogóle to pewnie ludzie, którzy mieszkali w buszu, widząc Atlantów, uważali ich za bogów, a gdy nastąpiła globalna katastrofa, która doprowadziła do zniszczenia Atlantów i wielu cywilizacji, wówczas ludzie, którzy przeżyli – a była ich garstka – przekazali kolejnym pokoleniom wszystko to, co widzieli. Ich opowieści przerodziły się w mity o bóstwach.

– Nie gadaj głupstw – odparła Madeleine. – Przecież to, że istnieli Atlanci, nie oznacza, że nie ma Boga. Ktoś przecież musiał stworzyć nasz wszechświat.

– Nie sądziłem, że taki światły naukowiec jak ty wierzy w te rzeczy... – zadrwił Dowkins.

– Tak, wierzę! – oznajmiła stanowczo Madeleine.

– Przestańcie się kłócić! – wtrącił się Azar. – Każdy ma prawo wierzyć w to, w co chce. Zajmijmy się raczej komnatą.

– Masz rację... Powiemy o tym wszystkim mediom? – zapytała Madeleine.

– Nie, absolutnie nie! – odparł z ożywieniem Azar. – Zrobimy to dopiero, gdy odkryjemy resztę. Teraz musimy zbadać komnatę do końca i jak najszybciej udać się do Meksyku.

– Azar ma rację – powiedział Dowkins.

– Dobrze. W takim razie bierzmy się do roboty i zbadajmy to miejsce. Jutro ruszamy do Meksyku – rzekł Azar.

– Super! – krzyknęła Ada. – Kolejna przygoda!

– A czy nie powinniśmy najpierw dowiedzieć się wszystkiego o tej komnacie i dopiero wówczas ruszyć do Meksyku? – zapytała Madeleine. – Zaznajomienie się ze wszystkim tutaj zajmie nam dużo więcej czasu niż jeden dzień... Poza tym należy rozwiązać zagadkę zabójstwa strażnika.

– Nie! Musimy jak najszybciej wyruszyć, odnaleźć pozostałe komnaty i zobaczyć, co w sobie kryją! Przecież te odkrycia mogą się okazać najważniejszymi w dziejach ludzkości. Zanim poinformujemy innych, musimy się dowiedzieć, o co w tym wszystkim chodzi – powiedział podniesionym głosem i stanowczym tonem Azar.

– Azar ma rację – odparł Dowkins, marząc tylko o tym, by następnym razem jemu też udało się wykazać wiedzą.

– Dobrze, ale będziemy musieli poprosić o pozwolenie policję. Przecież byliśmy świadkami zabójstwa! – naciskała Madeleine.

– Nie martw się – powiedziała Ada. – Gdy im opowiem, co widziałam, to na pewno złapią mordercę i będziemy mogli jechać.

– Co!? O czym mówisz? Co widziałaś i kiedy? – zapytała zdumiona Madeleine.

Ada, nim udzieliła jej odpowiedzi, spojrzała najpierw na Azara. Nie chciała, by ten był na nią zły, że wyjawia ich tajemnicę właśnie teraz. Na szczęście mężczyzna skinął głową, co oznaczało, że wyraża zgodę na to, by dziewczyna opowiedziała wszystko Madeleine i Dowkinsowi.

— No więc słuchajcie. Wieczorem po tym morderstwie pojechaliśmy z Azarem do klasztoru jezuitów, by zobaczyć, co tam się dzieje. To, co ujrzałam, naprawdę mną wstrząsnęło.

— Co widziałaś? – zapytał zaciekawiony Dowkins.

Madeleine stała jak wryta i nie mogła uwierzyć w to, co słyszy. „Jak ta mała mogła być taka głupia i sama prowadzić śledztwo!? Przecież to niebezpieczne" – myślała.

— Gdy o pierwszej w nocy dojechaliśmy do klasztoru, od razu zaskoczył nas kształt murów klasztoru. Przypominały grot strzały, a sam klasztor był w kształcie trójkąta.

— To przecież pentagram – wtrącił Dowkins.

— Co takiego? – spytała Ada.

— Pentagram – odezwała się Madeleine. – Ale w tym, co powiedziałaś, jest coś nie tak, bo klasztor – a przynajmniej dwa jego boki – powinien wystawać poza mury... A tak w ogóle to wcale nie musi być pentagram, bo pierwotnie był to znak pogańskiej białej magii. Z czasem jednak zauważono, że gdy się go odwróci, wygląda jak głowa kozła. Ten właśnie symbol przywłaszczyli sobie sataniści – dodała.

— Słuszna uwaga. Też o tym pomyślałem – wtrącił Dowkins.

— W zasadzie wszystko się zgadza. Tyle tylko że to piwnica wystaje poza mury. Też ma kształt trójkąta, ale o wiele większego – odpowiedziała Ada.

— A co ty, u diabła, robiłaś w ich piwnicy?! – krzyknęła rozzłoszczona Madeleine.

— Zaraz do tego dojdę, wszystko po kolei – odpowiedziała nieco zmieszana Ada. – Zaraz po tym, gdy przyjechaliśmy pod mury, zobaczyliśmy, że w niektórych pomieszczeniach zapalają się światła. Pomyśleliśmy wtedy z Azarem, że to trochę dziwne, by zakonnicy o tak późnej porze jeszcze nie spali. Przeszliśmy przez mury, by przyjrzeć się temu, co robią.

– Czy wyście oszaleli?! – krzyknęła Madeleine, marszcząc gniewnie czoło.

– Spokojnie, siostrzyczko – odparła Ada – słuchaj dalej. Gdy przeskoczyliśmy przez mur i podeszliśmy do okien klasztoru, Azar nagle poczuł się źle i zasłabł.

Oczy Madeleine natychmiast skierowały się w stronę Azara. „To bardzo dziwne... Czyżby kształt klasztoru miał wpływ na jego stan? Tylko która z gwiazd mogła go spowodować: ta białej magii czy satanistyczna? Kim on w ogóle jest?" – rozmyślała, patrząc wnikliwie w oczy Azara.

– Wtedy szybko wyprowadziłam go poza mury – kontynuowała Ada – i postanowiłam sama sprawdzić, co tam się dzieje. Gdy już weszłam do środka, zobaczyłam, jak wszyscy zakonnicy idą z pochodniami, ubrani w szaty z kapturem, i kierują się ku piwnicy, więc postanowiłam iść za nimi, ale najpierw przebrałam się w taką samą szatę jak oni, by nikt mnie nie rozpoznał...

– Matko kochana! – przerwała siostrze Madeleine.

– ...po czym ruszyłam za nimi. Gdy byliśmy już na dole, strasznie się zdziwiłam tym, co zobaczyłam. Ta piwnica miała kształt wspomnianego trójkąta, na bokach którego znajdowały się obeliski i pośrodku którego stał ołtarz. Po chwili podszedł do niego jeden z mnichów, wyciągnął zakrwawiony sztylet spod sutanny, po czym przetarł go nad kielichem z winem tak, by skapały do niego krople krwi, następnie wziął łyka, ale przedtem powiedział coś w dziwnym języku, po czym podał kielich drugiemu mnichowi, i tak każdy zaczął po kolei z niego pić. Zapamiętałam jedno słowo. To było chyba „Juda".

– Co? – z niedowierzaniem zapytała Madeleine.

– Juda – powtórzyła Ada.

– To jest hebrajskie słowo oznaczające „Judasz" – odparła Madeleine. – Czyżby oni byli wyznawcami Judasza? O co w tym wszystkim chodzi? – odezwała się.

– Myślę, że to możliwe – odparł Dowkins. – Pewien profesor z mojego uniwersytetu, zajmujący się historią chrześcijaństwa, wspominał mi kiedyś o Ewangelii według Judasza i gnostykach, którzy są jego wyznawcami.

– Tak, też coś kojarzę – dodała Madeleine. – Parę lat temu było o tym głośno. Odnaleziono papirusy z tekstem Ewangelii według Judasza. Mówiły o tym, że Judasz był najważniejszym z apostołów i że nie był wcale zdrajcą, tylko najlepszym przyjacielem Jezusa. Napisano tam ponadto, że sam Jezus poprosił Judasza o to, by go zdradził, dzięki czemu miały wypełnić się proroctwa. Jednak z tego, co wiem, nie ma już żadnych wyznawców Judasza!

– Nie, Madeleine. Ten mój znajomy profesor powiedział mi, że niedawno odkrył istnienie zakonu, który czci Judasza i zna największe tajemnice dotyczące proroctw z przyszłości.

– Ale dlaczego oni podszywają się pod jezuitów? – spytała Madeleine.

– To nie tak! Oni się nie podszywają pod jezuitów, tylko się od nich wywodzą. W XVII wieku naszej ery pewien mnich zajmował się poszukiwaniem relikwii Jezusa. Podobno natknął się na tekst Ewangelii według Judasza i jakieś proroctwa. Gdy je pokazał tak zwanemu czarnemu papieżowi, ten postanowił donieść o wszystkim Ojcu Świętemu. Ten uznał, że są to tylko jakieś bzdury, a samą Ewangelię należy jak najszybciej zniszczyć, by nie szerzyć herezji. Jednak czarny papież nie posłuchał tych nakazów i zaczął głosić tę Ewangelię, więc papież postanowił go ekskomunikować i polecił wyrzucić go z zakonu, co też zrobiono. Wówczas czarny papież postanowił stworzyć własny zakon. Zebrał wielu zwolenników i tak powstał zakon o nazwie jjezuici (sic!)*. Mnisi postanowili po prostu dodać pierwszą literę imienia Judasza do nazwy nowej formacji, a jednocześnie zachować większość obrzędów i tradycji swego macierzystego zakonu. Kiedy jednak bardziej zagłębili się w treść Ewangelii Judasza i jego proroctwa, postanowili, że nie będą się z tym afiszować ani ogłaszać go wszystkim wokoło, tylko ostrożnie szukali swoich wyznawców. Doszło do tego, że nowy zakon stał się elitarny, a wszystko, co z nim związane, było owiane rąbkiem tajemnicy. Następny czarny papież zgodził się współpracować z tym zakonem, by z powodu różnicy poglądów wierni nie odchodzili z Kościoła. I tak jjezuici działali pod szyldem macierzystego zakonu grubo ponad trzysta lat. Aż do dziś.

— Nawet jeśli tak jest, to wszystko nie wyjaśnia jeszcze tamtego morderstwa ani zachowania zakonników w klasztorze — odparła Madeleine.

— Masz rację. To wszystko jest bardzo dziwne... — odpowiedział Dowkins.

---

* Pisownia jest celowym zabiegiem stylistycznym autora.

— Dobra, starczy tych dywagacji. Policja wszystkim się zajmie, a my powinniśmy się już szykować do drogi – wtrącił Azar.

— Dobrze, szefie – zgodziła się Madeleine – chodźmy więc. Ale najpierw udamy się na policję i Ada wszystko im opowie.

— Ruszajmy – powiedział Dowkins.

Rozdział 7

M asz szczęście, że komisarz pozwolił ci opuścić kraj – powiedziała Madeleine, gdy wychodzili z komisariatu.

– Chwała Bogu. Dobrze, że Azar wstawił się za mną – odparła Ada.

– Jak dojedziemy do hotelu, macie się spakować i porządnie wyspać, bo jutro o szóstej rano lecimy do Meksyku – wtrącił Azar.

– Czy Komnata Wiedzy będzie dobrze chroniona pod naszą nieobecność? – spytała Madeleine.

– Tak. Nie martw się. Postawiłem tam najlepszych ochroniarzy, a poza tym na szczęście drzwi komnaty po naszym wyjściu znowu się zamknęły. Tylko my umiemy je otworzyć – odpowiedział mężczyzna.

– Racja. Nie mamy się o co martwić. To do jutra! – pożegnała się Madeleine.

Wszyscy rozeszli się do siebie. Kiedy Dowkins otworzył drzwi swojego pokoju, zobaczył, że na podłodze leży koperta. Podniósł ją, otworzył i przeczytał zawartość.

Jeśli chcesz się dowiedzieć więcej o Komnacie Wiedzy, bądź przy Muzeum Kairskim o 22.
P.S. Podejdę do ciebie.

„Kto to napisał i o co tu chodzi?" – pomyślał mężczyzna.
Szybko jednak przyszykował się i wyszedł na spotkanie.
Gdy dotarł do muzeum, nikogo tam jeszcze nie było.
Po paru minutach ktoś jednak złapał go od tyłu za ramię,
mówiąc:

– Witaj!

– Dobry wieczór – odpowiedział Dowkins, a gdy się
odwrócił, ujrzał zakonnika.

Był to już starszy mężczyzna o siwych, lecz bujnych
włosach. Na jego twarzy malowała się stanowczość, lecz
w oczach widać było strach człowieka, który nosi w sobie
jakąś tajemnicę.

„To pewnie jjezuita... Ale czego on chce?" – pomyślał
Dowkins.

– Widzę, że jest pan trochę zaskoczony, ale zaraz wszystko panu wytłumaczę – rzekł mnich.

– Zaskoczony?! Raczej oszołomiony! Bo jeśli prawdą
jest, że to wy zabiliście tamtego strażnika i odprawiacie
jakieś tajemnicze msze, to powinienem raczej krzyczeć
i uciekać – rzucił ironicznie Dowkins.

– Spokojnie. Nie przyszedłem tu, by pana zabić, tylko
wszystko wytłumaczyć i coś opowiedzieć.

– Dobrze. Więc słucham – bez emocji odparł Dowkins,
choć tak naprawdę trochę się bał.

– Zacznę od początku – odezwał się zakonnik. – Nie
jestem jezuitą, tylko jjezuitą i...

– To wiem – przerwał mu Dowkins.

– Skąd? – spytał wielce zaskoczony zakonnik.

– Jeden z moich kolegów profesorów jest religioznawcą
i opowiadał mi o was – odparł Dowkins.

– Ach, tak... Zatem nie muszę opowiadać panu całej naszej historii. To zaoszczędzi nam sporo czasu. Zacznę więc od Ewangelii według Judasza – oznajmił zakonnik.

– O tym też niedawno czytałem w gazecie – powiedział Dowkins.

– Ach, tak – odparł zakonnik, lekko się uśmiechając. – To, co napisali w gazetach, to zaledwie jedna setna prawdy. Posiadamy dużo więcej papirusów z Ewangelią Judasza, a nawet proroctwa i przepowiednie napisane jego własną ręką.

– To niesamowite! – powiedział zdumiony Dowkins.

– Ale do rzeczy. Opowiem panu trochę na ich temat – ciągnął dalej zakonnik. – Jeden z nich dotyczy Apokalipsy, ale nie tej, którą przepowiadał święty Jan, tylko Apokalipsy Przedwczesnej.

– Przedwczesnej? – spytał Dowkins, marszcząc czoło.

– Tak. Apokalipsy, która jest o wiele gorsza niż ta opisana przez Jana, a to dlatego, że wedle tej Apokalipsy będą cierpieć niewinni ludzie. Jak pan wie, u świętego Jana jest napisane, że 144 tysiące osób zostanie wziętych do nieba tuż przed końcem świata, natomiast u Judasza wszyscy będą cierpieć, a co gorsza ziemią zawładnie szatan i to nie na siedem lat, ale na 666 lat. W dodatku będą to rządy niewyobrażalnie okrutne, ponieważ ludzie, którzy nie oddadzą swojej duszy szatanowi, czyli nie będą mieli na swym ciele znaku Bestii, będą przez 666 lat wieść życie pełne okrutnego cierpienia. A najgorsze jest to, że przez ten czas nie będą mogli umrzeć. W Apokalipsie świętego Jana jest napisane tak, że osoby, które zostały na ziemi i w ostatniej drodze swojego życia się nawrócą, zostaną przez Boga przyjęte do nieba i, rzecz jasna, będą mogły umrzeć, oczywiście też bardzo cierpiąc, ale jednak w końcu umrą.

Dowkins stał jak wryty i słuchał słów mnicha z wielką uwagą, ale po chwili spytał:

— Ale jak ma do tego dojść?

— O tym za chwilę. Komnata, którą otworzyliście, jest kluczem do drzwi piekieł — oznajmił zakonnik.

— Jakich piekieł? Przecież tę komnatę zbudowali Atlanci — odparł Dowkins.

— Tak, zgadza się. Zbudowali ją Atlanci, a dwie inne zbudowali jeszcze Majowie i starożytni Chińczycy — oznajmił zakonnik.

— Skąd ojciec o tym wie? — spytał Dowkins, marszcząc brwi.

— My wszystko wiemy — odparł tamten, uśmiechając się. — Te trzy komnaty to bramy piekieł. Zostały zbudowane po to, by wypuścić bestię, która będzie rządzić ziemią.

— Ale po co Atlanci mieliby budować takie komnaty?

— Zbudowali je, ponieważ podpisali pakt z szatanem. Diabeł nauczył ich korzystania w pełni z możliwości, jakie daje mózg, czyli umiejętności telekinezy, telepatii i latania. Dzięki temu, że mogli w stu procentach wykorzystywać swój mózg, stali się niewiarygodnie mądrzy, byli niemal bogami na ziemi. I właśnie w zamian za to wszystko zobowiązali się zbudować komnaty, które miały służyć do otwarcia bram piekieł. Jednak, by do tego doszło, komnatę musi otworzyć dziewica o najczystszym sercu na ziemi i do tego z własnej, nieprzymuszonej woli. Atlanci na to przystali, bo sądzili, że taki dzień nigdy nie nadejdzie. Byli zdania, że nigdy nie narodzi się osoba, która będzie obdarzona nieskazitelnie czystym sercem, a do tego przez lata pozostanie dziewicą, gdyż wiedzieli, że ludzie są z natury chciwi, źli i rozwiąźli. Zresztą, twierdzili, nawet gdyby urodziła się tak nieskazitelna osoba, to na pewno nie będzie na tyle mądra, by otworzyć te komnaty, no i nie będzie chciała tego uczynić z własnej woli. Pierwszą taką osobą była Maryja, lecz ona nie miała pojęcia o tych komnatach, a nawet gdyby o nich wiedziała, to na pewno by ich nie otworzyła.

– Ale przecież doktor Madeleine nie jest Maryją – powiedział z sarkazmem Dowkins.

– Nie lekceważ tej kobiety. To, że udało się jej otworzyć tę komnatę, świadczy o jej wielkiej mądrości, choć nie wiemy, czy jest ona nieskazitelnie czysta i dobra. Poza tym nie możemy ryzykować, ponieważ w przepowiedni Judasza jest pewien fragment o tym, że taka kobieta się narodzi. „Nadejdzie dzień, w którym narodzi się kobieta spod znaku Anioła, która wypuści bestię na wolność".

– A co oznacza zwrot „kobieta spod znaku Anioła"? – dociekał Dowkins.

– Tego właśnie do końca nie wiemy, bo przecież nie istnieje konstelacja Anioła. To pewnie jakaś metafora. Pracujemy nad nią – odparł zakonnik.

– To wszystko wydaje mi się absurdalne – powiedział Dowkins. – Zresztą, ja jestem ateistą. Dla mnie tylko nauka ma sens.

– Rozumiem pana. W związku z tym mam dla pana propozycję: damy panu milion dolarów, by nie dopuścił pan do otwarcia ostatniej komnaty – zaproponował zakonnik, mając nadzieję, że Dowkins jest przynajmniej zachłanny na pieniądze.

— Tak mało cenicie ten świat? – odparł z ironicznym uśmiechem Dowkins.

— Widzę, że lubi pan pieniądze... No dobrze: niech będzie dziesięć milionów.

— Teraz to ja rozumiem. Proszę wpłacić połowę tej kwoty na moje konto przed wykonaniem zadania, a drugą połowę po jego wykonaniu. Zaraz podam księdzu numer konta – powiedział Dowkins.

— Cieszę się, że doszliśmy do porozumienia. Mam nadzieję, że rozumie pan, co to znaczy „za wszelką cenę"?

— Tak, rozumiem. Nawet za cenę czyjegoś życia – odpowiedział Dowkins.

— Dobrze, że się dogadaliśmy. A teraz muszę już iść. Zostańcie z Bogiem – powiedział zakonnik.

— Zanim pan odejdzie, to mam jeszcze pytanie. Dlaczego zabiliście strażnika?

— To była przypadkowa ofiara. Nasz człowiek miał po prostu za wszelką cenę sprawdzić hieroglify na wrotach i poprzyciskać je tak, aby nikt ich już nigdy nie otworzył.

— Teraz rozumiem i widzę, że nie ma co z wami zadzierać, wiec już pójdę – z Bogiem!

Idąc do hotelu, rozmyślał o całej sprawie. „To wszystko jest bardzo dziwne... Gdyby to, co mówił zakonnik, było prawdą, byłaby to najbardziej niesamowita historia w dziejach ludzkości. Ale nie sądzę, żeby tak było. Z drugiej strony dziesięć milionów to zbyt duża kwota, by z niej zrezygnować. Będę musiał obmyślić jakiś plan, by wypełnić tę misję. I to w taki sposób, by nikomu nic się nie stało. A teraz muszę się położyć, bo jutro jedziemy do Meksyku...".

Rozdział 8

Anno, odbierz telefon, kochanie, bo ja jestem pod prysznicem – zawołał Gabriel.

– Dobrze, już odbieram – odpowiedziała Anna i podniosła słuchawkę. – Słucham!

– To ja, mamo, Madeleine – odezwał się głos w słuchawce.

– No nareszcie! Myśleliśmy już z tatą, że coś wam się stało.

– Nie, mamuś, po prostu miałyśmy dużo do zrobienia. A teraz jedziemy do Meksyku.

– Co?! Do Meksyku? Ty mi lepiej powiedz, co tam się u was dzieje. Czy wszystko z wami w porządku? Pytam, bo wczoraj wieczorem w wiadomościach podali informację, że w Egipcie zabito strażnika, który stał przy komnacie, i że zabójcą był ktoś wyglądający jak zakonnik. Boimy się o was z tatą...

– Tak, mamo, to prawda. Zabili strażnika i to prawie na moich oczach. Umarł mi na rękach... Ale nic nam nie jest. Powiem tylko, że to, w czym uczestniczymy, to największe odkrycie w historii. Teraz jedziemy do Meksyku, bo okazało się, że są jeszcze dwie takie komnaty: właśnie w Meksyku oraz w Chinach. Wybacz mi mamo, ale nie mam teraz czasu, by o tym mówić. Jak dolecimy do Meksyku, zadzwonię jeszcze raz i opowiem ci więcej.

– Dobrze, aniołku. A jak tam sprawuje się Ada? Pilnuj jej. Wiesz, jaka ona jest szalona...

– Wiem, mamusiu, ale wszystko z nią w porządku. Będę jej pilnowała. Obiecuję. Ucałuj tatusia. Muszę kończyć. Pa!

– Pa, kochanie – odpowiedziała Anna.

Trochę się jednak zmartwiła tym, co przekazała jej Madeleine.

– Kto dzwonił, kochanie? – zapytał Gabriel.

– Twój aniołek – odpowiedziała Anna.

– Tak? I co mówiła?

– Usiądź. Zaraz ci wszystko opowiem, ale najpierw zrobię ci kawę – odparła Anna.

Parę minut później usiadła obok męża i wszystko mu opowiedziała.

– Matko kochana... To mi się wcale nie podoba. Te sny, które mam, chyba coś oznaczają, bo przecież, jak wiesz, w moim przypadku nie ma możliwości, by coś mi się tak po prostu śniło. Gdy już się śni, są to raczej jakieś wizje...

– Chyba masz rację, kotku... Co teraz zrobimy? – zapytała Anna zmartwionym głosem.

– Nie wiem. Musimy jeszcze trochę poczekać. Zobaczymy, co będzie, gdy dotrą do pozostałych komnat.

– A może... Może byś powiedział Madeleine, kim tak naprawdę jesteś – zasugerowała Anna.

– Nie, kochanie. Jeszcze nie pora. Wszystko w swoim czasie...

Rozdział 9

Zarezerwowałem nam pokoje w tutejszym Grand Hotelu. Weźcie taksówkę i się tam udajcie. Ja mam jeszcze coś do załatwienia – powiedział Azar.

– Ale gdzie ty teraz idziesz? Nie jesteś zmęczony podróżą? – zapytała ze zdziwieniem Madeleine.

– Powiem wam później. A teraz muszę już jechać. Pa! – odpowiedział Azar, kierując się w stronę taksówki.

– Nie uważasz, że to bardzo dziwne, Madeleine? – zapytał Dowkins.

– Tak. Zastanawiam się, gdzie też on pojechał... – odparła Madeleine.

– Dobra, chodźmy złapać jakąś taksówkę, bo jestem wykończony i marzę tylko o wygodnym łóżku – powiedział Dowkins.

– Tobie to tylko przyziemne rzeczy w głowie – dogryzła mu Ada.

– Nic na to nie poradzę, że lubię spać... – odburknął Dowkins. – Dzień dobry. Prosimy do Grand Hotelu – zwrócił się do taksówkarza.

Rozdział 10

Rezerwacja na profesora Azara – poinformował recepcjonistę Dowkins.

– Już patrzę... Tak. Są trzy pokoje. Dwa jednoosobowe i jedna dwójka – powiedział recepcjonista.

– W porządku. Prosimy o jedną jedynkę i jedną dwójkę – zdecydowała Madeleine.

– Proszę bardzo – powiedział recepcjonista, podając im klucze – i życzę miłego wypoczynku.

– Dziękujemy panu – odpowiedziała Ada, puszczając do niego oko. – Przystojniaczek z niego, co Madeleine? – rzuciła do siostry, gdy nieco oddaliły się od recepcjonisty, a i Dowkins został nieco za nimi, tak że nie mógł słyszeć tej uwagi.

– Przestań! Jesteś niepoprawna. Tylko jedno masz w głowie – odparła Madeleine, marszcząc czoło.

– Wyluzuj, siostrzyczko! Czy ty w ogóle masz zamiar się kiedyś zakochać?

– Nie mam teraz czasu na takie głupoty. Przed nami największe odkrycie ludzkości. To jest dla mnie teraz najważniejsze – odparła, po czym zwróciła się do ich towarzysza: – Tu jest twój pokój, Dowkins, a nasz po drugiej stronie – powiedziała.

– To dobranoc, dziewczyny – rzucił Dowkins.

– Dobranoc, dobranoc – odpowiedziały, wchodząc do pokoju.

– To nie pokój, tylko apartament! – powiedziała z zachwytem Ada.

– Masz rację. I jest jeszcze ładniejszy niż ten w Kairze... – pomyślała głośno Madeleine.

– Pewnie mają prywatnych sponsorów – zasugerowała Ada.

– Pewnie tak. Jesteś głodna? Może coś zamówimy? – zapytała Madeleine.

– Bardzo chętnie! Umieram z głodu! – odpowiedziała Ada.

– No to dzwonię. A co zamówić?

– Pizzę.

– OK! – odparła Madeleine, po czym podniosła słuchawkę i wykręciła numer do recepcji. – Poproszę dwie pizze pepperoni do pokoju 414 – rzekła.

– Dobrze. To zajmie około 15 minut. Czy życzą sobie Panie coś do picia?

– Nie! Dziękujemy, w pokoju mamy prawie wszystko – odpowiedziała Madeleine.

– Dobrze. Za 20 minut przyniesiemy wszystko do pokoju.

Po posiłku siostry położyły się na sofach i oglądały telewizję. Nagle Ada, jakby dopiero teraz przyszło jej to do głowy, powiedziała:

– Pyszna ta pizza!

– Racja, bardzo dobra. Nigdy tak dobrej nie jadłam. A ciasto i sos pomidorowy są wręcz rewelacyjne – odparła Madeleine.

W tym momencie rozległo się pukanie do drzwi.

— Ktoś puka do drzwi! Kto to może być? Przecież nie zamawialiśmy już nic więcej – zastanawiała się Madeleine.

— Tak, to bardzo dziwne... Pójdę otworzyć – powiedziała Ada. — O! A co ty tu robisz? Jest przecież już późno.

— Przepraszam, ale mam wam coś do powiedzenia – odpowiedział stojący za drzwiami Azar.

— Dobrze, wejdź – odrzekła Ada. – Proszę, usiądź. Może się czegoś napijesz? – zapytała.

— Poproszę whisky – odparł mężczyzna. – Słuchajcie. Jutro idziemy na ekskluzywny bal. Organizuje go mój dobry kolega, rektor uniwersytetu miasta Meksyk. Pojawią się na nim największe szychy stolicy.

— A po co mamy tam iść? – spytała Ada.

— A po to, by zdobyć pozwolenie na prowadzenie wykopalisk. Musimy oczarować gubernatora. Znaczy się... wy musicie. Ja tymczasem zajmę się kardynałem... – wyjaśnił Azar.

— Coś ty powiedział?! Kardynałem? – zapytała Madeleine, marszcząc czoło.

— Tak, dobrze słyszysz – odparł.

— A co on, u licha, będzie tam robił?! – zapytała Ada.

— Jest przyjacielem gubernatora. Pomógł mu wygrać wybory – odpowiedział Azar.

— Czy to nie jest przypadkiem jjezuita? – spytała Madeleine.

— Pewnie tak! Właśnie dlatego ja się nim zajmę.

— Dobrze! Zatem postanowione – wtrąciła Ada. – A o której mamy tam być? – spytała.

— Bal zaczyna się o dziewiętnastej. Odbiorę was z hotelu o 18.30.

– Dobrze. Będziemy gotowe.

– Czyli wszystko jasne. Idę już spać. Życzę dobrej nocy – powiedział Azar.

– Pa – odparły siostry.

– Siostrzyczko, a w co my się jutro ubierzemy? – spytała z niepokojem Ada.

– Nie martw się – odpowiedziała Madeleine. – Do osiemnastej będzie jeszcze dużo czasu, żeby coś kupić.

– Super! Pójdziemy na zakupy! – ucieszyła się Ada.

– Dobra, ale teraz pora spać – rzekła Madeleine.

– Racja – zgodziła się Ada.

* * *

Nazajutrz Madeleine obudziło natarczywe pukanie do drzwi. „Kto tak wcześnie rano może pukać?" – pomyślała, spojrzawszy na zegarek, i poszła otworzyć. Za drzwiami stał pracownik hotelu.

– Dzień dobry, pani. Mam przesyłkę od profesora Azara.

– Dziękuję – odparła Madeleine i odebrała przesyłkę. Było to małe pudełeczko.

– Zobacz szybko, co tam jest! – powiedziała Ada, która od razu zerwała się z łóżka.

– Rety! Ależ to piękne! – zachwyciła się Madeleine, gdy rozpakowała prezent.

W pudełku spoczywały dwa złote naszyjniki.

– Ale po co on nam to przysłał? – spytała Ada.

– Tu jest karteczka. Zaraz przeczytam.

– No to czytaj. Szybko!

Drogie Panie!

Proszę włożyć te naszyjniki na dzisiejszy bal. W środku jest jeszcze czek. Proszę, abyście zakupiły sobie sukienki. Bez obaw: to są moje pieniądze, a ponieważ mam ich bardzo dużo, proszę się nie martwić. Tak piękne panie zasługują na to, co szczególnie wartościowe.

A.

— Zobacz, na ile opiewa ten czek — powiedziała Ada.

— On chyba sobie żartuje... — odparła wstrząśnięta Madeleine.

— Co? Dał tak mało? — zapytała Ada.

— Nie. On chyba oszalał... Dał nam 10 tysięcy dolarów! Przecież to... to mnóstwo pieniędzy...

— Ma chłopak gest. Super! Kupimy sobie fajne kiecki! Zawsze o czymś takim marzyłam.

— Ale przecież to nie wypada... — żachnęła się Madeleine.

— Oj tam! Idziemy na superzakupy! Nie narzekaj!

— Dobra, więc chodźmy. Kupimy sobie naprawdę eleganckie kiecki — zgodziła się Madeleine.

Gdy po pięciu godzinach siostry wróciły z zakupów, Ada od razu zaczęła się ubierać i szykować na bal. Była zachwycona swoją sukienką, niemniej zwróciła się do Madeleine z tradycyjnie kobiecym pytaniem:

— I jak wyglądam?

Miała na sobie czarną sukienkę od Armaniego. Była to suknia ścięta na ukos, sięgająca za kolana, miała duży dekolt w szpic i była na ramiączkach. Do tego kobieta założyła złoty naszyjnik: jeden z dwóch, które przesłał im Azar.

– Wyglądasz szałowo! – odpowiedziała Madeleine.

– Dzięki, siostra. A ty czemu jeszcze się nie ubierasz? – zapytała Ada.

– Mamy jeszcze godzinę, a poza tym muszę się najpierw umalować.

– Masz rację. Ja też muszę się trochę umalować.

Pół godziny później zadzwonił telefon.

– Ada, weź odbierz! – zawołała Madeleine.

– Dobra! – odparła jej młodsza siostra i pobiegła do telefonu. – Słucham?

– Witam cię, Ado! Jesteście już gotowe? – spytał Azar.

– Jeszcze nie! Będziemy gotowe dopiero za jakieś piętnaście minut – odparła Ada.

– Dobrze. Czekamy na was na dole, w holu.

– W porządku. To do zobaczenia – odparła dziewczyna i odłożyła słuchawkę. – Madeleine, ruszaj się, bo już na nas czekają! – zawołała, pospieszając siostrę, która szykowała się niczym na własne wesele.

– Za chwilę będę gotowa – odpowiedziała tamta.

Po paru minutach Madeleine wyszła z łazienki gotowa do wyjścia. Ada była zdumiona jej wyglądem.

– Ależ ty cudownie wyglądasz, siostra! Teraz jesteś prawdziwą damą – powiedziała z zachwytem Ada.

– Kochanie, ty też pięknie wyglądasz – odparła Madeleine.

– Dzięki... Cóż, musimy już iść.

– No dobra, więc chodźmy.

Madeleine czuła się trochę dziwnie. Miała wiele obaw związanych z tym balem, nie czuła się też komfortowo w takim ubraniu. Ostatni raz była tak ubrana na studniówkę i trochę się niepokoiła, że nie wygląda wcale aż tak pięknie, jak twierdzi Ada. Poza tym nie była tak pewna siebie jak jej siostra.

– Azar, zobacz! Idą nasze panie – zwrócił uwagę Dowkins.

– Gdzie? – spytał tamten.

– Po schodach.

– No, no! – krzyknął z zachwytu Azar i to tak głośno, że usłyszała go większość zgromadzonych w holu gości.

To z kolei spowodowało, że wszyscy zaczęli wpatrywać się w Madeleine i Adę. Natychmiast też zaczęto szeptać, każdy w swoim języku: „Ale piękne kobiety... Cóż to za zjawisko... To chyba anioły...".

Po chwili Azar i Dowkins ruszyli w kierunku schodów, cały czas wpatrując się w swoje piękne koleżanki.

– Witamy, drogie panie! Wyglądacie bosko! – powiedział Azar i wziął Adę pod rękę.

– To prawda. Jesteście przepiękne, moje panie – dodał Dowkins, podając ramię Madeleine.

– Dziękujemy – odpowiedziały obie, choć Madeleine nie za bardzo pasowało, to że to właśnie Dowkins wziął ją pod ramię. Postanowiła jednak, że nie będzie się temu sprzeciwiać.

Ada bardzo cieszyła się z tego, że zachwyciły mężczyzn swoim wyglądem i że właśnie Azar podszedł do niej, bo też Izraelczyk coraz bardziej się jej podobał.

– Chodźmy zatem. Limuzyna czeka – powiedział Azar. – Po drodze opowiem wam, co macie robić.

Gdy ruszyli, zaczął:

– Słuchajcie, moje drogie panie, musicie wywrzeć dobre wrażenie na gubernatorze. Kardynała zostawcie mnie.

– Dobrze! Postaramy się – odpowiedziała Madeleine.

– Mamy tylko szczęście, że Sanchez to człowiek chciwy i trochę zepsuty, więc myślę, że nie będę miał z nim większych problemów – kontynuował Azar

– Tak, masz rację, że mamy dużo szczęścia – odparła Ada, lekko uśmiechając się do Azara, po czym skierowała głowę w stronę Madeleine.

– Nie podoba mi się to wszystko – powiedziała cicho Madeleine, kierując te słowa tylko do Ady.

– Co ci się nie podoba? – spytała Ada.

– To, że mamy się bawić w panie do towarzystwa – odparła Madeleine z kwaśną miną, marszcząc czoło.

– Nie przesadzaj. Potraktuj to jako fajną zabawę i zadanie zawodowe. Przecież chyba chcesz się dowiedzieć, co jest w następnej komnacie, prawda? – zagadnęła ją Ada.

– No tak, ale nie podoba mi się to wszystko...

– Zmieńmy temat. Zauważyłaś, jak Dowkins na ciebie dziś patrzy – rzuciła Ada.

– Niby jak?

– Ty naprawdę jesteś chyba aseksualna... W jego oczach widać... oczarowanie i pożądanie.

– Chyba zwariowałaś! Przecież my się nie lubimy.

– Może i tak. Ale zapomniałaś chyba, że to jest facet, a oni myślą tylko o jednym! – odpowiedziała Ada.

– Ty chyba zwariowałaś! Co ty wygadujesz?! – powiedziała, marszcząc czoło, Madeleine. – Zamiast gadać takie głupoty, lepiej sama bądź ostrożna i miej oczy szeroko otwarte. Mam złe przeczucia... – dodała.

– Mów, co chcesz, ja tam wiem swoje... – powiedziała uszczypliwie Ada. – Dobrze, będę uważała, ale ty masz się dobrze bawić i się zrelaksować, bo ostatnio jesteś za bardzo spięta.

– Wiesz, że ja już taka jestem. Wszystkim się martwię. No ale spróbuję.

– No dobra, moje drogie panie. Dosyć tych damskich pogaduszek! – przerwał im Azar. – Jesteśmy już na miejscu i zaczynamy naszą operację.

– Więc chodźmy oczarować gubernatora – powiedziała Ada.

Cała czwórka ruszyła ku willi rektora. Przy wejściu przywitał ich sam gospodarz we własnej osobie, który również był wtajemniczony w sprawę.

– Dobry wieczór, drodzy państwo!

– Dobry wieczór! – odpowiedzieli chórem.

– Zapraszam do środka. O naszych sprawach porozmawiamy później. Na razie muszę iść do gości – powiedział mężczyzna.

– Dobrze, Fernando – zwrócił się do niego Azar.

– O! Jest już kardynał. Proszę, porozmawiajcie teraz o waszej sprawie z nim, a ja uciekam do gości – odparł rektor i ruszył w głąb sali.

– Dobry wieczór, Wasza Ekscelencjo – rozpoczął Azar, zwracając się do kardynała. – Jestem profesor Azar, archeolog. Potrzebne mi wsparcie Waszej Ekscelencji.

– Witajcie. A w jakiejż to sprawie? – spytał kardynał, czując dreszcze, gdy podawał mu dłoń.

– Chcemy dokładnie zbadać Piramidę Słońca, bo uważamy, że w jej wnętrzu znajduje się komnata, która może zmienić nasze dotychczasowe życie. Oczywiście na lepsze – odparł Azar z delikatnym uśmiechem.

– Przykro mi bardzo, ale nie pozwolę na te badania, ponieważ Kościół podejrzewa, że to może być puszka Pandory – odparł kardynał.

– Ja tak łatwo nie odpuszczę – powiedział Azar z uśmiechem. – Proszę więc: przejdźmy do tamtego pokoju. Rozmówimy się na osobności.

Teraz profesor zwrócił się do Madeleine i Ady:

– Drogie panie, proszę, pójdźcie się czegoś napić, a ja porozmawiam z kardynałem.

– Dobrze, idziemy – odparły obie, kierując się ku wystawnemu stołowi, na którym było chyba wszystko. Był to rzeczywiście bankiet w iście królewskim stylu.

– Waszą Ekscelencję zapraszam tutaj – powiedział Azar, zwracając się do kardynała.

– Dobrze. Chodźmy więc, ale i tak nic pan nie wskóra – odpowiedział tamten.

– To się jeszcze okaże – odparł profesor.

Gdy już weszli do wskazanego przezeń pokoju, Azar od razu przeszedł do kontrofensywy.

– Zgodzisz się na wszystko, co ci powiem.

– Co? Kim ty, do licha, jesteś, żeby mi rozkazywać?! – powiedział, wyraźnie się irytując, kardynał i odwróciwszy od Azara, wyciągnął na wierzch swój łańcuszek, na którym wisiał pentagram symbolizujący pięć ran Chrystusa.

– Ach, tak... Jesteś z zakonu jjezuitów. To wszystko tłumaczy. Ale ten marny znak na mnie nie zadziała... – stwierdził Azar. – Rozkazuję ci, byś spełniał każde moje życzenie – powiedział groźnie.

W tej chwili oczy zapłonęły mu ogniem. Patrząc w twarz kardynała, próbował go hipnotyzować, lecz pentagram duchownego trochę mu w tym przeszkadzał. Mimo to raz jeszcze powtórzył wcześniejsze słowa, które w końcu zadziałały. W tym jednak momencie do pokoju wszedł gubernator Marko i spytał:

– Szanowni panowie, co tu robicie?

– Nic, rozmawiamy tylko o pozwoleniu na prowadzenie badań w Piramidzie Słońca – odparł Azar, martwiąc się tym, czy udało mu się skutecznie zahipnotyzować kardynała.

– Tak! Wszystko w porządku i dobrze, że przyszedłeś. Właśnie mamy zamiar cię namówić na zgodę na te badania – powiedział Sanchez.

– Co?! Przecież zawsze byłeś przeciwny temu, by badać piramidę – odparł ze zdziwieniem gubernator.

– Tak, ale zmieniłem zdanie. Pan profesor mnie do tego przekonał.

– To dobrze się składa, że to pan, panie gubernatorze – wtrącił ucieszony Azar.

– Niby czemu? – spytał.

– Bo potrzebujemy również pana zgody na wykopaliska, a jak pan widzi, doszedłem do porozumienia z kardynałem – rzekł Azar.

Czuł ulgę, bo teraz wiedział, że wszystko się udało. Miał jednak również świadomość, że jego hipnoza nie będzie działać w nieskończoność.

– A ty, Marko, zgadzasz się na wspomniane badania?

– Skoro kardynał się zgadza, to ja też. Ma pan szczęście, bo Fernando zdążył mi wcześniej nakreślić sprawę.

– No to świetnie. Tak się składa, że mam przy sobie odpowiednie papiery, więc, proszę, podpiszcie je, a jutro od razu zaczniemy pracę – skwitował Azar.

– Dobrze. Gdzie mam podpisać? – zapytał gubernator.

– A! Tu jesteście – powiedziała Madeleine, podchodząc do Azara, kardynała i gubernatora.

– O! Dobrze, że jesteś – odparł Azar. – Kardynał i gubernator podpisali właśnie zgodę na wykopaliska.

– To świetnie! – ucieszyła się Madeleine, myśląc, że dzięki temu nie będą musiały już zgrywać z Adą pawianów, by przekonywać gubernatora.

„Ale jakim cudem przekonał kardynała? Przecież to jjezuita..." – zastanawiała się Madeleine. Gdy tylko weszła, zwróciła uwagę na zawieszony na szyi duchownego pentagram. „Po co go wyciągnął na wierzch? Czyżby się czegoś bał? To wszystko jest bardzo dziwne...".

– No to teraz wznieśmy toast, by to uczcić – powiedział Azar.

– A i owszem! Życzę wszystkim sukcesu – odparł gubernator, uśmiechając się do Madeleine.

– Tu jesteście! – powiedziała Ada, wchodząc do pokoju wraz z Dowkinsem.

– O, dobrze, że jesteście. Właśnie wznosimy toast, ponieważ mamy zgodę na wykopaliska – poinformował Azar.

– Ach, tak! To świetnie! – odparła Ada.

Po toaście wszyscy się rozeszli i zaczęli się bawić. Gdy orkiestra zagrała tango, Azar podszedł do Ady i spytał:

– Można panią prosić do tańca?

– Ależ oczywiście. Tylko że ja... nie umiem tego tańczyć – odpowiedziała dziewczyna, uśmiechając się jednocześnie lekko i zalotnie.

– Nie martw się. Pozwól się tylko prowadzić, a wszystko wyjdzie super.

– Dobrze, mój bohaterze – odpowiedziała Ada.

Gdy tylko zaczęli tańczyć, cała sala patrzyła wyłącznie na nich, bo ich tango było niesamowite, niewiarygodnie zmysłowe.

– Gdzie twoja siostra nauczyła się tak tańczyć? – spytał Dowkins Madeleine.

– Nie mam pojęcia. Z tego, co wiem, to ona nie znała tańców towarzyskich – odparła zdziwiona Madeleine.

– Nie wygląda na to, by nie umiała tańczyć. Rusza się, jakby była opętana, a Azar tańczy, jakby był mistrzem świata – odpowiedział Dowkins.

– Masz rację. Wygląda jak opętana – przytaknęła Madeleine. – To w sumie wcale nie jest wykluczone...

„Muszę sobie wszystko dobrze przemyśleć, bo to, co dziś widziałam, jest bardzo dziwne" – myślała, stojąc i obserwując ich taniec.

Cała czwórka bawiła się jeszcze przez dwie godziny, po czym towarzystwo wróciło do hotelu.

Już w pokoju Madeleine spytała siostrę:

– Ada, co to miało być? Tańczyłaś, jakby coś cię opętało...

– A co? Nie podobało ci się?... Może zresztą trochę tak się czułam, ale to pewnie wina alkoholu i towarzystwa Azara. On jest po prostu... boski – odpowiedziała Ada.

– No właśnie: boski – wtrąciła Madeleine.

– Co masz na myśli? – zapytała Ada.

– A to, że normalna osoba się tak nie zachowuje. Dodatkowo nurtuje mnie to, jakim cudem udało mu się przekonać kardynała do zgody na nasze badania... Nie wiem, czy zwróciłaś uwagę, ale kardynał miał wyciągnięty na wierzch swój łańcuszek, na którym widniał zawieszony pentagram, a przecież wiesz, co on oznacza – zauważyła Madeleine.

– Przesadzasz. Fakt, że kardynał miał ten znak, oznacza tyle, że należy do zakonu jjezuitów, ale to, że miał go na wierzchu, jest bez znaczenia. Może mu się po prostu sam wysunął albo lubi go pokazywać – odpowiedziała Ada.

– Uważam, że to wszystko, co dziś widziałam, było bardzo dziwne, dlatego proszę cię: bądź ostrożna w stosunku do Azara, bo ja mu nie ufam i nie wiem, jakim cudem udało mu się przekonać kardynała – ostrzegła Madeleine. – Bardzo cię proszę, siostrzyczko: uważaj... – dodała Madeleine.

– Dobrze. Obiecuję – odparła beztrosko Ada. – A teraz chodźmy spać, bo jestem zmęczona.

– Wcale mnie to nie dziwi. Cały czas szalałaś na parkiecie. Dobrze więc. Chodźmy spać.

Mnie więcej godzinę później Madeleine niespodziewanie zaczęła krzyczeć przez sen:

– Ada! Ada, nie...!

Nagle przebudziła się. „O Boże... Całe szczęście to był tylko sen" – pomyślała i spojrzała w kierunku łóżka Ady.

– Matko kochana... Gdzie ty jesteś?! – zawołała, widząc, że siostry nie ma w łóżku.

Szybko wstała, by upewnić się, czy Ady nie ma przypadkiem w łazience, a następnie ruszyła w stronę pokoju Azara, bo coś jej mówiło, że właśnie tam ją znajdzie. Będąc już przed drzwiami pokoju profesora, chwyciła za klamkę i z całym impetem, ze swoją tajemną mocą wiatru, wparowała do sypialni, krzycząc.

– Ada! Nie rób tego!

— A! Co ty tu robisz?! – krzyknęła przestraszonym głosem zawstydzona Ada.

— Nie! To ty mi powiedz, dlaczego poszłaś do łóżka z kimś, kogo nawet dobrze nie znasz.

— Ale to nie tak, Madeleine. Ja go kocham!

— Czy ty wiesz, co to jest miłość? Czy ty nie widzisz, że on jest bawidamkiem. Tylko cię wykorzystuje...

— Ej, no, ja tu wciąż jestem – wtrącił Azar, zastanawiając się, jakim cudem Madeleine otworzyła drzwi.

— Cicho! – krzyknęły na niego siostry jednocześnie.

— Sugerujesz, że jestem naiwna? – zagadnęła Ada.

— Tak. Jesteś bardzo naiwna i dlatego nie pozwolę ci na to wszystko. Natychmiast wstawaj i się ubieraj – powiedziała Madeleine i zwaliła ją z łóżka, nie zważając na to, że jej siostra jest prawie naga.

— Dobrze, niech ci będzie, ale jutro pogadamy sobie poważnie, bo nie pozwolę na takie traktowanie – rzuciła młodsza z sióstr.

— Drogie panie, chyba się zapominacie. Ja też mam coś do powiedzenia – stwierdził zdenerwowany Azar.

— Nie! Nie wtrącaj się, gdy rozmawiam z siostrą. Z tobą zresztą też jutro pogadam – powiedziała ze złością Madeleine.

— Dobrze – odpowiedział mężczyzna, obruszając się. „Chyba zepsuć się musiał elektroniczny zamek" – rozmyślał dalej nad tymi drzwiami.

— Idziemy. Szybko! – krzyknęła Madeleine, zwracając się do siostry, która zdążyła już założyć sukienkę.

— Co ty sobie wyobrażasz, Madeleine? – powiedziała Ada, gdy już znalazły się w swoim pokoju. – Nie będziesz mi mówiła, co mam robić! Nie jestem już dzieckiem! – krzyknęła.

– A właśnie, że będę! Jesteś moją młodszą siostrą! Obiecałam twojemu bratu i ojcu...

– Komu? Co powiedziałaś? – spytała z oburzeniem Ada.

– Powiedziałam: ojcu. Tak, byłam u niego w więzieniu, gdy miałam 16 lat, bo chciał mnie widzieć – odparła Madeleine.

– No i czego chciał od ciebie ten pijak?

– Bardzo żałował tego, co zrobił. Do tego stopnia, że przestał jeść i umarł z głodu. I właśnie przed swoją śmiercią zdążył się ze mną zobaczyć. Zostawił dla ciebie list...

– Nie chcę go!

– Proszę cię, weź go i przeczytaj. Myślę, że jesteś już na to gotowa. A wracając do tego, że powstrzymałam cię od stosunku z Azarem... Miałam straszny sen. Śniło mi się, że on jest wcielonym diabłem i chce, byś urodziła mu potomka.

– Dobra, niech już będzie... Zaraz przeczytam ten list – rzuciła Ada. – Co do snu, to ja nie wierzę w takie głupstwa. Nie będę przez twoje głupie sny traciła chłopaków.

– A nie pamiętasz, jak mój sen z dzieciństwa uratował ci życie? – zapytała zdenerwowana Madeleine, przypominając jej dawną przeszłość.

– To było co innego, bo to zapewne była dusza mojego brata, która przyszła do ciebie, a raczej do twojego snu.

– Zresztą... nieważne, co to było, ale proszę, wybacz mi siostra, bo musiałam to zrobić. Myślę, że jeszcze mi podziękujesz.

– Przyjmuję przeprosiny, ale idę już spać. Przed snem przeczytam jeszcze tylko ten list.

– Dobrze.

„Ciekawe, co ten pijak napisał..." – pomyślała Ada, biorąc list do ręki. Otworzyła go i zaczęła powoli czytać.

Droga Córko!

Wiem, że to, co zrobiłem, jest niewybaczalne i nie oczekuję, że mi w ogóle kiedykolwiek wybaczysz, ale błagam, nie potępiaj mnie za to wszystko, bo alkoholizm jest okropną chorobą, która niszczy umysł i zabija uczucia. Nie mogę znieść myśli, że przeze mnie doszło do takiej tragedii, dlatego postanowiłem ukarać się za to. Pamiętaj, że zawsze w głębi duszy mocno Was kochałem i mam nadzieję że przynajmniej Ty, skarbie, masz teraz lepsze życie i że jesteś szczęśliwa w nowej rodzinie, a Mateusz opiekuje się Tobą tam z góry.

Tata

P.S.
Przepraszam! Kocham Cię bardzo!
Żegnaj!

– Już przeczytałaś? – przerwała jej Madeleine. – Widzę, że tak... Nie płacz, kochanie – powiedziała, tuląc Adę do piersi.

– Powiedz mi, dlaczego tak się stało? Dlaczego Mateusz musiał umrzeć? Dlaczego moi rodzice musieli pić i doprowadzili do takiej tragedii? – pytała dziewczyna, szlochając.

– Nie wiem, kochanie, ale myślę, że to wszystko musi

mieć jakiś sens... Bóg nie pozwalałby na takie tragedie, gdyby to nie miało głębszego sensu. Nie płacz, kochanie.

– A co dokładnie stało się z moim ojcem w więzieniu? – spytała Ada.

– Po paru latach, gdy dotarło do niego, co się stało, postanowił zagłodzić się na śmierć. Tłumaczył to tym, że nie mógł nic jeść, no i chciał jakoś odpokutować za to, co zrobił.

– To straszne... Dlaczego wcześniej mi tego nie powiedzieliście?

– Zrozum, kochanie: nie mogliśmy zaburzać twego spokoju, bo byłaś jeszcze za młoda.

– Ale mogłabym chociaż się z nim pożegnać...

– Skarbie, on sam powiedział, że nie mógłby ci spojrzeć w oczy. Powiedział też, że najlepiej będzie, jeśli ja sama zdecyduję, kiedy będzie najlepszy moment na to, by przekazać ci ten list i o wszystkim opowiedzieć. Taka była jego ostatnia wola. Nie mogłam inaczej postąpić. Proszę, zrozum...

– Dobrze, Madeleine. Rozumiem. Przytul mnie mocno... – dodała Ada, ciągle płacząc.

– Wypłacz się, siostrzyczko. To dobrze ci zrobi... – powiedziała Madeleine.

Rozdział 11

R ano, gdy się obudziły, postanowiły jeszcze porozmawiać i wyjaśnić sobie pewne sprawy, by podomykać wszystko raz na zawsze. Godzinę później zjadły śniadanie, ubrały się i poszły do Azara, gdyż należało już rozpocząć poszukiwania następnej komnaty.

– Azar, jesteś tam?! – zawołała Madeleine, pukając głośno do drzwi.

– Tak! Już otwieram – krzyknął mężczyzna.

– Cześć. Chyba już czas znaleźć następną komnatę – powiedziała do Azara z ironią w głosie Madeleine, gdy mężczyzna otworzył drzwi.

– Tak, wiem! Wejdźcie. Zaraz idziemy... Wezmę jeszcze tylko kilka rzeczy – odparł cichym głosem, martwiąc się, że Madeleine zacznie go upominać za wczorajszą sytuację.

– Ada, idź, proszę, po Dowkinsa. Chciałabym przez chwilę porozmawiać z Azarem sam na sam – powiedziała rozkazującym głosem Madeleine.

– Ale... – zająknęła się Ada.

– Żadnego „ale"! Zrób, o co cię proszę – odparła siostra.

– Dobrze – odpowiedziała dziewczyna, po której widać było zakłopotanie.

Wychodząc, spojrzała jeszcze na Azara, bo wiedziała, że Madeleine będzie z nim rozmawiać o wczorajszym dniu.

– No, a teraz sobie chwilę pogadamy, Azar – powiedziała stanowczo Madeleine.

– Nie mamy o czym – odparł ze strachem w głosie Izraelczyk.

– A właśnie, że mamy! Posłuchaj mnie uważnie: nie pozwolę ci skrzywdzić mojej siostry.

– Ale ja nie chcę jej skrzywdzić...

– Nie ufam ci. Wokół ciebie dzieją się dziwne rzeczy. Pamiętaj: mam na ciebie oko. Jeden fałszywy ruch, a nie będę patrzyła na to, że chwilowo jesteś naszym przełożonym – powiedziała z wielką stanowczością.

– Okay, uspokój się. Nie skrzywdzę Ady... Zależy mi na niej – odparł, myśląc jednocześnie, że musi bardziej uważać, bo Madeleine już za dużo się domyśla. „Najważniejszą sprawą jest, by komnaty zostały otwarte...".

– I tak ci nie wierzę, ale dosyć tego gadania! Zajmijmy się sprawami służbowymi. Powiedz mi, czy masz już wszystko przygotowane do naszych poszukiwań? – zapytała Madeleine.

– Tak, mam. Wszystko zniosłem już na dół. Samochód terenowy z przewodnikiem stoi przed hotelem – odparł Azar.

– Dobrze. Chodźmy więc – odpowiedziała Madeleine.

Oboje ruszyli po Dowkinsa i Adę. W samochodzie panowała przedziwna krępująca cisza. Dało się wyczuć, że relacje między nimi popsuły się.

– Czemu nic nie mówicie? Stało się coś? – spytał ze zdziwieniem Dowkins.

– Nic. Po prostu jesteśmy podekscytowani – odparła Madeleine.

– Tak. To nerwy – dodała Ada, wymieniając z siostrą wymowne spojrzenia.

– Zgadza się. Tak... Ile jeszcze do Piramidy Słońca? – spytał Azar kierowcę, zmieniając temat.

– Jakieś dziesięć minut.

– Znakomicie – odparła Madeleine i znowu wszyscy zamilkli.

Gdy dojechali już na miejsce, pierwszy odezwał się Azar.

– Wysiadamy, moi drodzy. Czeka nas ciężka i niebezpieczna robota. Musimy dziś znaleźć tę komnatę...

– Nie martw się. Znajdziemy ją – odparła Madeleine. – Ja i Dowkins dobrze znamy tę piramidę, nieprawdaż? – dodała, zwracając się do drugiego z mężczyzn.

– Tak... Znamy ją dobrze – odpowiedział tamten, czerwieniąc się trochę, bo wiedział, o co dokładnie chodzi Madeleine. Teraz był pewien, że kobieta nadal ma żal o to, że przywłaszczył sobie jej sukces.

– No to się cieszę. W takim razie pewnie znajdziemy ją szybko – odpowiedział Azar.

– Dobra, dosyć tej gadki. Chodźmy, bo nie mogę się już doczekać – powiedziała podekscytowana Ada.

– Okay. Zaczniemy od górnego wejścia, następnie udamy się do komnaty, do której ostatnio doszliśmy z Dowkinsem – powiedziała Madeleine. – Może znajdziemy jakieś wskazówki co do dalszych pomieszczeń. Sądzę, że mapa z komnaty wiedzy nam w tym pomoże.

Gdy już doszli do komnaty, zaczęli się rozglądać, czy w pobliżu nie ma przypadkiem jakiejś dźwigni, przycisku lub napisów mówiących, gdzie można by się skierować dalej. Po chwili Ada zauważyła tajemnicze inskrypcje z tyłu za jednym z posągów i zawołała do pozostałych:

— Hej, zobaczcie! Tu są jakieś napisy!

Pozostali podeszli do niej, by się im przyjrzeć.

— No, faktycznie. Coś tu jest... Tylko dlaczego tego wcześniej nie zauważyłam? Albo ty, Dowkins? – odezwała się Madeleine.

— Bo nie ty badałaś to miejsce, tylko ja. Wcześniej powiedziałem ci, że nic tu nie ma, bo sam chciałem rozszyfrować te napisy. Niestety nie zdążyłem tego zrobić... – odpowiedział z nutką zakłopotania w głosie Dowkins.

— No tak... Czemu mnie to nie dziwi? – powiedziała z ironią Madeleine. – Dobra, odsuńcie się! Muszę to dokładnie obejrzeć – dodała.

— Dasz radę to odczytać? – spytał Azar.

— Myślę, że tak. Pismo jest podobne do tego, które odszyfrowałam poprzednim razem. Dajcie mi chwilkę...

— Dobrze. Ty czytaj, a ja będę to zapisywała – zaproponowała Ada.

— ok, więc pisz: „Jeśli chcesz przejść dalej, musisz oddać pokłon bogu".

— O jakiego boga chodzi? O ten posąg? – spytał Dowkins.

— Nie, głąbie! Ten posąg przedstawia kapłana, który był najbliżej bogów – odparła Madeleine. – Poświećcie tam. No tak... Widać głowę boga słońca – rzekła, pospiesznie udając się we wskazane miejsce.

— Ale jak i z którego miejsca mamy się pokłonić? – spytał zaciekawiony Azar.

– Spójrzcie – odezwała się Madeleine. – Tu są odbite miejsca. Coś jak odciski kolan. Kto spróbuje uklęknąć? Może ty, Dowkins, jesteś w końcu ateistą? – zaproponowała.

– Zgoda – odparł mężczyzna, po czym uklęknął i pokłonił się. Nic się jednak nie wydarzyło.

– Oj, nie tak, gamoniu! – parsknęła Madeleine. – W ten sposób kłaniali się poddani królowi. Kapłani czynili to z wyciągniętymi rękoma, a głowy pochylali tak mocno, że dotykały ściany. Spróbuj – powiedziała Madeleine.

– Dobrze – zgodził się Dowkins.

Gdy wyciągnął dłonie i dotknął rękoma ściany, a dłonie przesunęły się do środka. Wszystkim zamarło serce.

– Szybko! Pokłoń się teraz! – krzyknęła Madeleine.

– Już to robię! – odparł Dowkins.

Z tymi słowy pokłonił się i dotknął głową nosa posągu, który również się przesunął. W tym momencie usłyszeli dźwięk działania jakiegoś mechanizmu.

– Super! To działa! – krzyknęła z euforią Ada.

Ale gdy tylko wypowiedziała te słowa, rozległ się krzyk.

– Ratunku!

– Jezu, zobaczcie! To Dowkins – powiedziała z przerażeniem Madeleine. – Otworzyła się pod nim podłoga i spadł tam!

– Dowkins, jesteś tam? Żyjesz? – zawołał głośno Azar.

– Tak! Nic mi nie jest! Zejdźcie tu. To coś jak ślizgawka – odkrzyknął Dowkins.

– Dobra, zjeżdżamy – powiedziała Ada.

– Ja pierwszy, a potem wy – zaproponował Azar. – Na dole Dowkins i ja złapiemy was.

– W takim razie skacz! Tylko uważaj... – odpowiedziała Ada, uśmiechając się do niego.

Gdy wszyscy byli już na dole, zaczęli rozglądać się po komnacie. Pierwszą rzeczą, na jaką zwrócili uwagę, był rozmiar komnaty. Miała ona około 1000 metrów sześciennych. Zauważyli, że na jej ścianach wiszą pochodnie, więc je zapalili i po chwili dostrzegli wrota. Po obu ich stronach stały dwa wielkie posągi wyglądające jak olbrzymy; każdy z nich trzymał w ręku miecz.

– Spójrzcie. Te wrota prowadzą pewnie do komnaty – stwierdziła Ada.

– Tak, to one. Zaraz spróbuję odczytać te napisy – odrzekła Madeleine.

– Madeleine, zobacz! U góry widać te same hieroglify kuliste, co w Komnacie Wiedzy! – zawołał Dowkins.

– Faktycznie! Czyli to na pewno ta komnata. Dobra, w takim razie spróbuję przetłumaczyć napisy na wrotach – powiedziała Madeleine i wzięła się do pracy.

Po dłuższej chwili odczytała:

– „Jeśli tu dotarłeś, oznacza to, że odkryłeś komnatę wiedzy i wiesz, że otwarcie następnych komnat doprowadzi do Apokalipsy. Tę komnatę otwierają cztery górne znaki. Należy je naciskać w odwrotnej kolejności niż na drzwiach w Komnacie Wiedzy".

– Madeleine, jesteś genialna! – krzyknął Azar.

– Dziękuję za komplement! Mamy jednak dwa problemy. Po pierwsze: ten ostatni hieroglif; symbolizuje on śmiertelne zagrożenie. Po drugie: te cztery znaki umieszczono na wysokości około pięciu metrów... – poinformowała Madeleine.

– Oj tam! Damy radę! – uspokoił ją Azar. – Ja i Dowkins podsadzimy Adę i ciebie. Wtedy uda się wam sięgnąć. Co do ostrzeżenia, to chodzi pewnie o ogólne niebezpieczeństwo. A może napis mówi o Apokalipsie?

– No, nie wiem... – odpowiedziała Madeleine. – Mnie się ten znak nie podoba... ale i tak musimy otworzyć tę komnatę. Zaczynajmy więc.

– Podejdźcie do mnie – rzekł Azar. – Dowkins, złap mnie za ramiona, a ja złapię ciebie. Ada niech wejdzie nam na ręce, potem Madeleine. Następnie niech Ada podsadzi Madeleine na wysokość tych znaków – poinstruował mężczyzna.

Po kilku minutach Madeleine z trudem wprawdzie, ale jednak udało się przycisnąć tajemnicze znaki. Gdy już wszyscy stali przed wrotami, gotowi wejść do komnaty, niespodziewanie zobaczyli, że dwa posągi zaczynają się ruszać. Po chwili stanęły na baczność i przymierzały się to tego, by zadać im cios mieczem.

– Uciekajcie – krzyknął Azar.

– Co to ma być, na litość boską?! – krzyknęła Ada.

– Uciekajcie! Ja się nimi zajmę – powiedział Azar, myśląc, że musi coś zrobić, bo jeśli posągi zabiją Madeleine, cała misja zakończy się klęską.

– Azar ma rację. Ada i ty, Dowkins, uciekajcie, a ja z Azarem zajmiemy się tymi posągami – powiedziała Madeleine.

Kątem oka zerkała na Azara i ani na chwilę nie spuszczała wzroku z posągów.

– Co to, u diabła, jest? – spytał przestraszony Dowkins.

– To pewnie jakieś roboty – odpowiedziała Madeleine.

– No dobra, Madeleine! Zaczynamy. Mam nadzieję, że wiesz, co robisz... – powiedział Azar.

– Lepiej zadbaj o siebie! Mam na koncie mistrzostwo Europy w karate, więc poradzę sobie z tymi robotami – odparła z dumą Madeleine.

– No to nieźle. Coraz bardziej mnie zaskakujesz, Madeleine... Ja też znam sztuki walki – odpowiedział z lekkim uśmiechem Azar.

– Całe szczęście. Nie będę musiała ratować twojego tyłka – odparła Madeleine i pomyślała, że musi wykorzystać moc wiatru do ugaszenia pochodni. Wówczas będzie mogła niezauważenie użyć swoich umiejętności przeciwko robotom.

– Boże, co to za wiatr? Wszystkie pochodnie zgasły – krzyknął przerażonym głosem Dowkins.

– Uciekajcie! Nie martw się, Dowkins! To dobrze, że zgasły. Roboty nie będą nas widzieć. Azar i ja damy sobie radę – odpowiedziała Madeleine.

Minutę później było już po wszystkim. Madeleine i Azar urwali posągom głowy. W czasie walki patrzyli kątem oka na siebie nawzajem, bo byli ciekawi, jak radzi sobie drugie z wojujących. Madeleine zauważyła, że Azar, podobnie jak ona, wskoczył na miecz posągu i odbijając się od niego, skierował nogę prosto w jego głowę, po czym głowa od razu się urwała. Madeleine, chcąc unieść się w powietrze i urwać głowę drugiego posągu, użyła wcześniej swoich mocy wiatru. Zastanawiała się więc, jakim cudem Azar zrobił to samo. Żaden człowiek nie mógł tego dokonać. „Jak on mógł tak wysoko skoczyć, nie wykorzystując do tego jakichś mocy?" – zastanawiała się Madeleine. Była trochę zdziwiona, lecz uznała, że nie będzie o tym mówić, by przypadkiem Azar też nie zaczął podejrzewać jej o posiadanie jakiejś nadprzyrodzonej mocy. Także Azarowi to, co zrobiła Madeleine, wydawało się niewiarygodne, ale i on wolał nie poruszać tego tematu, by nie zdradzić swoich tajemnic.

— No, to już po wszystkim — powiedziała dumnie Madeleine.

— Tak... już po tych robotach. Nieźle poradziłaś sobie ze swoim — zauważył Azar.

— Dziękuję. Ty też byłeś dobry — odwdzięczyła się komplementem Madeleine.

— Przestańcie się wzajemnie wychwalać, tylko powiedzcie szybko, co to, u licha, było?! — krzyknął Dowkins.

— Zaraz wam wszystko powiemy, ale najpierw trzeba zapalić wszystkie pochodnie — odparła Madeleine.

To powiedziawszy, wraz z innymi wzięła się za zapalanie pochodni. Następnie wszyscy podeszli do leżących na ziemi posągów.

— Widzisz, Dowkins? To są roboty. W środku jest szkielet z jakiegoś nieznanego mi stopu metalu. Twórcy tych robotów byli bardziej zaawansowani technologicznie niż my — powiedziała Madeleine.

— To przecież niesamowite... bo... to znaczy, że wykonali je Atlanci... — odparła Ada.

— Pewnie tak było — odpowiedział Azar.

— Boże, on miał rację... — powiedział pod nosem Dowkins.

— Co ty tam szepczesz, Dowkins? Kto miał rację? — spytała zdziwiona Madeleine.

— Nie, nic... Tylko głośno myślę — odparł Dowkins.

„Muszę bardziej uważać na to, co mówię" – pomyślał.

– No dobra. Trzeba spróbować wejść do komnaty – powiedział Azar i podszedł do wrót. Zauważył, że są one już odchylone, więc od razu pchnął je, by otworzyły się na oścież.

– Super! Wreszcie zobaczymy, co tam jest – powiedziała Ada, po czym wszyscy podążyli za Azarem.

– Boże... To jest równie piękne jak Komnata Wiedzy, tylko że ściany są z zielonego kamienia. Coś wspaniałego... – powiedziała z zachwytem Madeleine.

– Patrzcie! – powiedział Dowkins. – Tu jest takie samo urządzenie jak w poprzedniej komnacie. Są też odciski dłoni i taka sama kula – dodał, próbując położyć dłonie na tych odciskach.

– Dowkins, nie! Zostaw! To Madeleine musi położyć tam swoje dłonie. Ona to wszystko zaczęła i ona musi to skończyć – krzyknął Azar.

– Tak... Azar ma rację. To ja muszę uruchomić to urządzenie – odparła Madeleine.

Podeszła do wrót i położyła na nich dłonie. W tym momencie znowu poczuła ukłucia na palcach. W chwilę później kula rozbłysła podobnie jak w Komnacie Wiedzy i również zaczęła wyświetlać obrazy, tym razem pokazujące następną piramidę. Ta mieściła się w Chinach i też zawierała komnatę. Najpierw na filmie ukazała się piramida zaraz po ukończeniu. Była cudowna: miała wszystkie ściany gładkie i była pokryta srebrzystym metalem. Po chwili pokazano jej wnętrze, a wreszcie oczom czwórki towarzyszy ukazała się komnata, do której mieli wejść.

– Azar, nagrywasz to wszystko? – spytała Madeleine.

— Tak, spokojnie! Nagrywam – odpowiedział naukowiec.

— To niewiarygodne! Gdyby świat się o tym dowiedział, upadłyby wszystkie dotychczasowe teorie religijne... Nikt by nie wierzył w Boga! – powiedział zachwycony Dowkins.

— Bzdury gadasz, Dowkins! Już ci mówiłam, że nawet jeśli istniała taka wspaniała cywilizacja jak Atlantyda, nie oznacza to, że nie ma Boga. Przyznaję, że w tym przypadku jest wiele do wyjaśnienia, ale bez sensu jest twierdzić na tej podstawie, że nie było proroków czy Mesjasza w osobie Jezusa. Może to wszystko jakoś się ze sobą łączy, ale nie my jesteśmy od tego, by to zbadać – odpowiedziała obruszona Madeleine.

— No dobra, nie ma co dyskutować! Sprawdźcie, czy także tutaj ze ściany wyskakują hologramy – powiedział do wszystkich Azar. Wszyscy zaczęli dotykać ścian, ale nic się nie pojawiało. Najwyraźniej ta komnata była inna.

— Nic się nie dzieje – powiedziała Ada.

— Fakt. Ta komnata nie ma tego, co egipska – odparła Madeleine.

— To co? Wychodzimy? – spytał Dowkins.

— Tak, możemy już iść. Resztę zbadają nasi ludzie, a my powinniśmy szybko planować ekspedycję do Chin – powiedziała Madeleine, natychmiast ruszając w stronę wyjścia.

Wszyscy podążyli za nią.

— O Boże! No pięknie... Ale z nas głupki! – krzyknęła po chwili.

— Co się stało? – spytał Azar.

— Jak to co? Nie wyjdziemy stąd, bo nikt nie pomyślał o tym, żeby zaczepić linę na górze, nim wszyscy zjechaliśmy tym tunelem – odparła Madeleine.

W duchu pomyślała jednak, że jeśli nie pojawi się inna możliwość, będzie musiała znowu wykorzystać dyskretnie swoją moc, by wylecieć przez tunel i spuścić towarzyszom linę.

— Jezu, Madeleine ma racje... Co my teraz zrobimy? — zagadnął przestraszony Dowkins.

— Spokojnie, Dowkins. Zaraz coś wymyślimy — odpowiedział Azar. „Muszę coś wymyślić. Nie możemy tu przecież zginąć, bo wszystko szlag trafi..." — pomyślał.

— Już wiem! — krzyknęła radośnie Ada. — Trzeba po kogoś zadzwonić.

— No tak! Masz rację. Niech każdy sprawdzi, czy ma zasięg — odparła Madeleine.

Kiedy jednak wszyscy sprawdzili swoje komórki, okazało się, że nikt nie ma zasięgu.

— No i co teraz zrobimy? — spytał prawie ze łzami w oczach Dowkins. — Ja nie chcę jeszcze umierać... — po cichu zaczął w kółko powtarzać te słowa.

— Dowkins, ty tchórzu, przestań panikować! Zaraz coś wymyślimy — odparła Madeleine.

— Ktoś musi jakoś dostać się na górę przez ten tunel — stwierdził Azar.

— Tak, ale on ma bardzo śliskie ściany — odparła Madeleine. — Jednak masz rację. To jedyna możliwość. Ja spróbuję, tylko musicie mnie podsadzić.

— Na pewno chcesz tam wejść? — zapytał z troską Azar, myśląc, że on sam nie może za wiele zrobić, bo mógłby zdradzić, kim tak naprawdę jest.

— Tak, spróbuję! Jak się nie uda, to najwyżej umrzemy tu z głodu — odpowiedziała z ironią Madeleine.

Jednocześnie zastanawiała się nad tym, w jaki sposób ma się dostać na górę tak, by nikt nie zauważył, że wykorzystuje do tego swoją moc. Chodziło jej zwłaszcza o Azara, który i tak chyba już za dużo widział i pewnie coś podejrzewa.

– W porządku. Podejdźcie tu. Podsadzimy ją – rzekł Azar, po czym wszyscy utworzyli z rąk podstawkę i podsadzili Madeleine.

Na szczęście tunel znajdował się około dwóch metrów nad ziemią. Gdy już Madeleine znalazła się w jego wnętrzu, szybko wywołała podmuch wiatru, by ponownie zgasić wszystkie pochodnie i uniemożliwić reszcie zobaczenie, że sama wylatuje przez tunel jak czarownica.

– Szlag! Pochodnie znowu zgasły – krzyknął Dowkins.

– Co się z nimi dzieje? – spytała ze zdziwieniem Ada.

– To pewnie jakiś przeciąg – odparł Azar, lecz też go to zdziwiło. – Madeleine, nic ci nie jest? Jesteś tam? – zapytał.

– Tak, jestem. Poradzę sobie! Całe szczęście, że wzięłam dobre tenisówki – odpowiedziała.

Była już na samej górze, ale postanowiła trochę poczekać, by nikt nie zaczął się zastanawiać, jakim cudem tak szybko udało się jej wspiąć. Po paru minutach zawołała do nich.

– Jestem już na górze! Idę po linę, zaraz wracam!

– Chwała Bogu – odparła Dowkins.

– Teraz to „chwała Bogu", tak? A jeszcze przed chwilą mówiłeś, że Boga nie ma... – powiedziała ironicznie Ada.

– Ale ja tylko... To takie powiedzenie... – odpowiedział zmieszany Dowkins.

– Przestańcie!– wtrącił Azar.

– Fakt. Nie ma co dyskutować z tym tchórzem... – odparła Ada.

– Jestem na miejscu! Zaraz spuszczam linę! – krzyknęła Madeleine. – Jest dobrze przywiązana, więc możecie się spokojnie podciągać.

– Jesteś doskonała, Madeleine! – krzyknął uradowany Dowkins.

– Ada, wchodzisz pierwsza – powiedział Azar – ty, Dowkins, drugi, a ja pójdę ostatni.

Po dłuższej chwili wszyscy byli na górze.

***

– Boże, głowa mi pęka... Co ja wczoraj robiłem? – pomyślał kardynał, wstając z łóżka i ruszając w stronę kuchni, by się napić.

Nagle przypomniał sobie, co wydarzyło się wczoraj. Momentalnie zrobiło mu się słabo. Gdy był już w kuchni, zobaczył gospodynię.

– Niech mi pani zawoła szybko księdza Chose!

– Tak jest, Wasza Ekscelencjo – odpowiedziała gospodyni, po czym szybkim krokiem udała się po księdza.

Wezwany kapłan natychmiast przyszedł do kardynała i powiedział:

– Dzień dobry, Ekscelencjo!

– Witaj, Chose! Chodźmy szybko do gabinetu... – odpowiedział nerwowo kardynał.

– Co się stało, że Wasza Ekscelencja jest taki zdenerwowany? – spytał ksiądz.

– Zaraz ci wszystko opowiem – odparł kardynał. –

Wczoraj na przyjęciu u gubernatora byli naukowcy, którzy starali się o pozwolenie na prowadzenie badań piramidy Majów. Chcieli odnaleźć drugą z Komnat Wiedzy, a wiesz, czym to grozi...

– No i co z tego? Zapewne ksiądz kardynał nie dał pozwolenia – wtrącił duchowny.

– No właśnie o to chodzi, że dałem... – odparł zatroskanym głosem kardynał.

– Boże! Dlaczego?! – krzyknął ksiądz Chose.

– Uspokój się! Tak, wiem, że to straszne... Ale nie miałem wyjścia, bo jeden z nich – profesor Azar – zahipnotyzował mnie.

– Co zrobił? – zapytał z niedowierzaniem tamten.

– Omamił lub coś w tym rodzaju. Gdy spojrzałem mu w oczy, zobaczyłem w nich płomienie, które przeszyły całe moje ciało, i straciłem nad sobą kontrolę... Ten facet chyba nie jest człowiekiem...

– To wszystko brzmi niewiarygodnie! Co my teraz zrobimy? Przecież ksiądz kardynał wie, czym grozi otwarcie komnaty... – odpowiedział duchowny.

– Tak, wiem. I właśnie dlatego musimy temu zaradzić. Słuchaj mnie uważnie: wezwij czterech naszych tajnych żołnierzy i powiedz im, żeby zlikwidowali tę czwórkę naukowców – powiedział stanowczo kardynał.

– Ależ księże kardynale! Przecież to jest zbrodnia...

– Wiem, ale nie możemy ryzykować. Tu chodzi przecież o zagładę całej ludzkości. Wykonaj rozkaz! – powtórzył kardynał.

– Tak jest, Wasza Ekscelencjo! – odparł bez wahania ksiądz Chose, wychodząc z gabinetu.

– A ja muszę zaraz zadzwonić do Egiptu i spytać ich, co o tym wszystkim wiedzą – rzekł kardynał. – Pani Marianno, proszę podać mi telefon – poprosił gospodynię, gdy odprowadzał księdza.

– Już przynoszę, Wasza Ekscelencjo.

Rozdział 12

N areszcie jesteśmy na świeżym powietrzu – powiedział Dowkins.

– Tak, w końcu... Chociaż tam w środku też było fajnie – odparła Ada.

– Nie gadajcie tyle, tylko skupcie się i uważajcie przy schodzeniu, bo ta piramida jest dosyć stara i się kruszy – ostrzegła Madeleine.

Znalazłszy się na dole, od razu wsiedli do samochodu. W tej chwili jednak Madeleine niespodziewanie krzyknęła.

– Wysiadajcie! Szybko!

– Ale...

– Szybko! – powtórzyła i gdy tylko wyskoczyli z samochodu, ten nagle wybuchł. Siła eksplozji odrzuciła ich na boki.

– Boże, co to było?! – spytała z przerażeniem Ada.

– Jesteście wszyscy cali? – upewniała się Madeleine.

– Tak, jestem – odpowiedzieli kolejno.

– Co to miało być? I skąd wiedziałaś, że samochód wybuchnie? – spytał Dowkins.

– Nie wiem skąd... Przez chwilę miałam przeczucie, że on wybuchnie... – odparła Madeleine.

– Całe szczęście, że miałaś to przeczucie... Kto mógł to zrobić? – spytał zdziwiony Azar, myśląc jednocześnie: „Dobrze, że ona zareagowała pierwsza, bo musiałbym zrobić to samo i cały mój plan poszedłby z dymem". Teraz był już niemal pewien, że Madeleine nie jest zwyczajną kobieta i że musi na nią uważać.

– Nie mam pojęcia – odparła Madeleine.

Jednak gdy tylko wypowiedziała te słowa, pojawiło się czterech zamaskowanych mężczyzn z mieczami w ręku.

– Jezu! Ratunku! – krzyknęła Ada, gdy zobaczyła, że zbliża się do niej zamaskowany osobnik.

– Ada, szybko! Schowaj się za mną – krzyknęła do niej Madeleine.

– A ty, Dowkins, schowaj się za mną – odparł Azar. – No to znowu się zabawimy, Madeleine...

– Wygląda na to, że tak – odpowiedziała z uśmiechem dziewczyna.

Chwilę później zaczęła się ostra walka. Widać było, że zamaskowani mężczyźni są dobrze wyszkoleni. Nie byli łatwymi przeciwnikami i aby ich pokonać, Madeleine musiała użyć swojej tajemnej siły wiatru. Również Azar zmuszony był wytężyć wszystkie siły, by dać sobie radę z tymi wojownikami. Walka trwała około pięciu minut, po czym jeden z wojowników zwrócił się do pozostałych.

– Odwrót! – krzyknął i po chwili wszyscy uciekli do dżungli.

– Kto to był? – spytała Ada.

– Nie domyślasz się? To byli wojownicy jjezuitów – odparł Azar.

– Dokładnie tak! To jjezuici. W trakcie walki jednemu z nich wysunął się medalik z ich znakiem – dodała Madeleine.

– Ale czemu chcieli nas zabić? – spytała Ada.

– Dokładnie to nie wiem, ale wygląda na to, że te komnaty mają dla nich jakieś wielkie znaczenie. Wiedzą o nich coś, czego my nie wiemy... – odparła Madeleine.

– No ale co my teraz zrobimy? – spytał Dowkins.

– Jak to co? Musimy pojechać do Chin, znaleźć ostatnią komnatę i ją otworzyć. Wtedy się dowiemy, o co w tym wszystkim chodzi – odparł stanowczo Azar.

– Azar ma rację, ale powinniśmy jakoś dowiedzieć się, o co tak właściwie chodzi jjezuitom i dlaczego chcą za wszelką cenę uniemożliwić nam otwarcie komnat – powiedziała Madeleine.

– Ale jak chcesz się tego dowiedzieć? – spytał zaniepokojony Dowkins, martwiąc się, że jak Madeleine zacznie grzebać w całej sprawie i dowie się w końcu, jakie on otrzymał zadanie do wypełnienia.

– Już ty się o to nie martw. Mam swoje sposoby... – odparła z przekąsem Madeleine.

– Dobra, nie ma co tyle gadać. Lepiej niech mi ktoś powie, jak my się wydostaniemy z tej dżungli – strapiła się Ada.

– Nie martw się. Zaraz po kogoś zadzwonię i nas stąd zabiorą – odparł Azar. – A gdy już wrócimy do hotelu, musimy szybko wyruszyć do Egiptu, jeszcze dokładniej zbadać Komnatę Wiedzy i zaplanować ekspedycję do Chin.

– Całkowicie się z tobą zgadzam, Azar – dodała Madeleine.

* * *

Po godzinie byli już w hotelu i zaczęli się pakować. Azar zarezerwował im bilety lotnicze na dziewiętnastą, a Madeleine postanowiła się dowiedzieć, o co w tym wszystkim chodzi, i w związku z tym zadzwoniła... w jedno miejsce.

— Halo! Cześć, mamuś!

— No, wreszcie dzwonisz, skarbie! — powiedziała Anna. — Gabriel, dzwoni Madeleine! — zawołała z radością.

— Tak, mamuś. Przepraszam, że tak długo nie dzwoniliśmy, ale zbyt dużo się tu działo.

— W takim razie opowiadaj.

— Przepraszam cię, mamo, ale muszę pogadać z tatą. On ci potem wszystko opowie...

— Dobrze, skarbie. Już ci daję tatę — powiedziała Anna i przekazała słuchawkę mężowi.

— Cześć, aniołku — odezwał się Gabriel.

— Cześć, tatku! Opowiem ci parę rzeczy, posłuchaj uważnie...

Gdy Gabriel słuchał Madeleine, z wrażenia oczy omal nie wyszły mu z orbit. Był po prostu w całkowitym szoku.

— To wszystko, kochanie, jest przerażające! Ale nie martw się. Spróbuję się czegoś dowiedzieć od swego znajomego z zakonu jezuitów i dam ci znać. A wy uważajcie na siebie, bo jeśli to wszystko jest prawdą, to czyha na was straszliwe niebezpieczeństwo...

— Tak, wiem, tatku. Będziemy uważać. To pa, pa, tatusiu — powiedziała Madeleine i odłożyła słuchawkę.

Gabriel opowiedział wszystko Annie, która również była mocno zaniepokojona.

– Może już czas, by powiedzieć dziewczętom, kim naprawdę jesteś...?

– Nie, skarbie. Jeszcze nie... – odparł Gabriel.

– Ale co zamierzasz teraz z tym wszystkim zrobić?

– Jeszcze dokładnie nie wiem, ale zaraz zadzwonię do swego przyjaciela z zakonu jezuitów i może on będzie miał jakiś pomysł.

– Dobrze, skarbie. Więc dzwoń – odparła Anna, podając mu słuchawkę.

– Halo! Czy można prosić ojca Tadeusza? – spytał Gabriel.

– Tak, już po ojca przeora idę. Proszę chwilę poczekać – odpowiedział głos w słuchawce.

– Słucham, tu ojciec Tadeusz.

– Witaj, mój drogi przyjacielu. Z tej strony Gabriel.

– Cześć! Co się stało, że po tak długim czasie sobie o mnie przypomniałeś? – spytał z przekąsem duchowny.

– Mam do ciebie pewną sprawę... Czy słyszałeś coś o komnacie wiedzy i tajnym zakonie jjezuitów, ale pisanym przez dwa „j" – spytał Gabriel, ale nie otrzymał żadnej odpowiedzi.

Po chwili milczenia Gabriel odezwał się w końcu, pytając:

– Jesteś tam?

– Tak, jestem, ale trochę mnie zamurowało... Skąd o tym wiesz? – spytał ojciec Tadeusz.

– Od mojej córki, która właśnie otworzyła drugą z tych komnat.

– Tak, coś słyszałem w mediach na ten temat... Dobra, w takim razie spotkajmy się tak za dwie godziny u mnie w klasztorze, bo to nie jest rozmowa na telefon.

– Dobrze. Będę u ciebie za dwie godziny. To do zobaczenia.

– Do zobaczenia! – zakończył duchowny, po czym od-
łożył słuchawkę i natychmiast podniósł ją ponownie, by
zadzwonić w jeszcze jedno miejsce.

Gabriel tymczasem zaczął szykować się do drogi, bo
zakon mieścił się w Krakowie, czyli około dwóch godzin
drogi od Zakopanego, w okolicach którego mieszkali wraz
z Anną.

– Skarbie, mam jechać z tobą? – spytała Anna.

– Nie, kochanie. Muszę pojechać tam sam. Ale gdy
tylko czegoś się dowiem, od razu dam ci znać.

– Dobrze, tylko uważaj na siebie.

– Nie martw się o mnie. Wszystko będzie dobrze...

Rozdział 13

G dy Azar wraz ze swoją ekipą wylądowali na lotnisku w Kairze, od razu zostali zatrzymani przez policję. Madeleine natychmiast przystąpiła do kontrataku, zadając wiele pytań.

– O co wam chodzi? Gdzie nas prowadzicie? Co myśmy takiego zrobili? – przez dłuższą chwilę usta niemal jej się nie zamykały.

– Proszę się uspokoić. Zaraz wszystkiego się państwo dowiecie – odparł policjant, prowadząc ich dalej do samochodu. – Proszę wsiadać – dodał.

– Gdzie pan nas wiezie? – spytała z oburzeniem Ada.

– Jedziemy na komisariat i tam właśnie wszystkiego się państwo dowiedzą – odpowiedział spokojnie policjant.

I tak po około dwudziestu minutach znaleźli się na komisariacie, a policjant zaprowadził ich do porucznika Ajuba Abbasa.

– Witam państwa – powiedział Abbas.

– Dzień dobry. A teraz do rzeczy: po co ta cała szopka, panie poruczniku? – odparła z oburzeniem Madeleine.

– To nie żadna szopka, a niezbędne środki ostrożności, bo wiem, że grozi wam wielkie niebezpieczeństwo – odpowiedział porucznik.

– Ale skąd pan o tym wie? I jakie ma pan w ogóle informacje? – spytała zdziwiona Madeleine.

– Policja też ma swoje źródła, szanowna pani – odparł z lekkim uśmiechem na ustach Abbas. – Wiem, że ścigają was tajne odziały jjezuitów i że nie pozwolą wam otworzyć następnej komnaty, tak więc powinniście być ostrożni, a najlepiej zakończyć dalsze poszukiwania, bo mogą się one dla was źle skończyć – dodał.

– Tak: ma pan rację, że nas ścigają, ale my damy sobie radę i nie zaprzestaniemy naszych poszukiwań, bo jest to największa tajemnica ludzkości i musimy się dowiedzieć, o co w tym wszystkim chodzi – wtrąciła Ada.

– Dokładnie tak. Nikt nas teraz nie powstrzyma – powiedziała Madeleine.

– Rozumiem was, ale jeśli tak, powinniście wziąć jeszcze kogoś do pomocy – odparł Abbas.

– Nikogo nie potrzebujemy. Damy sobie świetnie radę we czworo – powiedział z przekonaniem Azar. – Jeżeli to już wszystko, co miał nam pan do powiedzenia, to my sobie pójdziemy, bo nie mamy czasu do stracenia – dodał.

– Zgadzam się na to, ale nie miejcie do mnie pretensji, jeśli coś wam się stanie. Ja was ostrzegłem. Dalej to już wasza sprawa – odpowiedział porucznik.

– Doskonale to rozumiemy. A teraz ruszamy, bo nie mamy zbyt wiele czasu – powiedział Azar. – A, jeszcze jedno: czy Komnata Wiedzy jest cały czas chroniona?

– Tak. Są tam moi najlepsi ludzie i nikogo nie wpuszczają. Co do tego zabójstwa, to także niczego mediom nie wyjawiłem. Daję wam jeszcze jeden dzień. Jutro o wszystkim je poinformuję – rzekł stanowczo porucznik.

– Dobrze. Rozumiemy wszystko i dziękujemy za życzliwość. A teraz w drogę! – powiedział Azar, po czym cała czwórka wyszła z komisariatu i taksówką pojechała do Komnaty Wiedzy, by móc dokładnie określić, gdzie znajduje się trzecia piramida.

* * *

– Widać, że komnata jest bardzo dobrze pilnowana – powiedziała Madeleine, gdy już stanęli u jej wrót.

– Tak, to prawda. Porucznik bardzo dobrze się spisał. Postawił aż czterech policjantów na zewnątrz i czterech przed samą komnatą – zauważył Azar.

– Całe szczęście, że o to zadbał, bo nie wiadomo, co by było, gdyby ktoś niepowołany tu wszedł – dodał Dowkins.

– Zobaczcie, kto w końcu się odezwał! Nasz tchórz wreszcie przemówił – dogryzła mu Ada.

– Ty też za dużo się ostatnio nie odzywałaś... – odparł Dowkins.

– Bo...

– Przestańcie się kłócić! – przerwała im Madeleine. – Musimy teraz dokładnie określić pozycję Srebrnej Piramidy, bo, jak wiecie, nie wiadomo za bardzo, gdzie ona jest... Może w tych hologramach znajdziemy jakąś wskazówkę, więc skupcie się i szukajcie – dodała.

Madeleine i pozostali zaczęli dotykać ściany, by znaleźć coś, co pozwoli im dowiedzieć się, gdzie dokładnie zbudowano piramidę.

– Zauważyłem pewną prawidłowość – odezwał się Azar. – Otóż na samym dole zapisano dzieje Antarktydy, następnie południowej Afryki i tak dalej, aż do Alaski, a jeszcze wyżej zaczyna się zapis historii kontynentu afrykańskiego od południa aż do północnej Europy. Dalej jest północna Azja, a potem wschodnie części globu. Na samej górze jest Australia i reszta wschodnich krain. Starajcie się więc sprawdzać tak powyżej środka. Tam powinny być Chiny. Niech każdy sprawdza inną epokę dziejów, bo jest tak, jak zaobserwowaliśmy wcześniej: chronologia idzie tu od lewej do prawej – zakończył.

– Tak, masz rację. Teraz to widzę. Szukajmy więc dalej – odpowiedziała Madeleine.

Madeleine znajdowała się po prawej stronie komnaty, naciskając następne punkty, miała więc przed oczyma zapisy dotyczące czasów współczesnych. Azar był po lewej stronie, a Ada i Dowkins pomiędzy nimi.

– Mam! Patrzcie: to jest już ukończona budowa piramidy – zawołał Azar. – Teraz szukajcie mniej więcej na tej wysokości co ja – dodał.

– Dobrze! – odpowiedzieli pozostali.

Po paru minutach Ada znalazła coś, co przedstawiało piramidę, ale już zasypaną i zarośniętą. Były to czasy średniowiecza, a obraz pokazywał jakichś samurajów lub podobnych do nich wojowników poszukujących tej właśnie piramidy. Po chwili Madeleine wyświetliła podobne miejsce, ale przedstawione w czasach współczesnych. Nadal jednak mieli problem, gdyż obraz był pokazywany od strony wejścia, a nie z lotu ptaka. Tylko widok z góry pozwoliłby ocenić, gdzie to jest, więc Madeleine pomyślała, że warto by dotknąć tego, co było wyświetlane, i spróbować rozciągnąć to tak, jak to się robi na monitorach komputerów. Ku jej zdziwieniu obraz zaczął się rozciągać, pokazując coraz to większą powierzchnię. Spróbowała nim też obracać, aż wreszcie udało jej się ustawić go tak, że piramida była widoczna z lotu ptaka.

– Zobaczcie: te obrazy da się obracać i zmieniać ich perspektywę! – zawołała Madeleine.

– To jest genialne! Trudno uwierzyć, że oni mieli technologię, która przewyższa naszą o setki lat... – odparł Dowkins.

– Może też spróbujemy tego ustawienia – zasugerowała Ada.

– Tak! Niech wszyscy ustawią obraz tak, by piramidę było widać z wysokości, na jakiej latają dzisiejsze samoloty – odezwała się Madeleine.

– Zgoda – odparł Azar.

Wszyscy ustawili swoje obrazy dokładnie tak samo. Madeleine zaczęła się im dokładniej przyglądać. Wreszcie ustaliła, że chodzi o pewne konkretne miasto.

– Słuchajcie! Według mnie widać tu miasto Chengdu położone w środkowych Chinach. Poznaję to po tamtych górach i jeziorze. One dokładnie pasują do reszty obrazów – powiedziała Madeleine.

– Ale skąd wiesz, że to właśnie Chengdu? – spytał Dowkins.

– Słuszna uwaga – dodał Azar.

– Po trzech wieżach. To kompleks biurowców o nazwie Atkins Shanghai Office. Wiem to na pewno, bo byłam tam kiedyś na konferencji historycznej – odparła z dumą Madeleine.

– Super! Siostra, jesteś najlepsza! – krzyknęła Ada.

— Znowu mnie zaskakujesz, moja droga — powiedział Azar.

— Dziękuję wam za komplementy, ale nie trzeba. To tylko przypadek, że akurat tam byłam... — odpowiedziała Madeleine.

— Jak zwykle skromna — dodał z przekąsem Dowkins.

— Tak więc, moi drodzy, wychodzimy stąd i zamawiamy bilety do Chin — powiedział Azar. — Przekażę jeszcze kilku asystentom z mojego uniwersytetu, by przebadali tę komnatę, a jutro podali coś do publicznej wiadomości. Byle nie za dużo, aby nie straszyć ludzi — dodał.

— Dobrze. W takim razie chodźmy — odparła Madeleine.

— Hula! Następna superpodróż! — zawołała Ada z radością, swoim zwyczajem sepleniąc przy tym jak dziecko.

— O nie, moja droga! Ty już nigdzie nie jedziesz. Dzisiaj kupuję ci bilet do Polski. Wracasz do domu — powiedziała Madeleine.

— Ale dlaczego?! Czemu mi to robisz?! — smutnym głosem spytała Ada. — A poza tym jest już druga w nocy i nawet nic nie spałam — dodała.

— Wyśpisz się w samolocie, który będziesz miała zresztą tak około 8 rano, to nawet i do wylotu się wyśpisz, a poza tym ta cała wyprawa robi się już zbyt niebezpieczna — odpowiedziała stanowczo Madeleine.

— Ale...

— Żadnych „ale"! Wylatujesz jeszcze dziś i wszystko opowiesz tacie, a on może dowie się jeszcze czegoś więcej. Jeśli ojciec ci pozwoli, razem z nim będziesz mogła się dowiedzieć, kim tak naprawdę są jjezuici.

– Już dobrze. Niech ci będzie. Tylko uważaj na siebie – odpowiedziała Ada.

– Dam sobie radę. I będę cały czas pod telefonem, więc jakby co, to się odzywajcie, gdy się czegoś nowego dowiecie – odparła Madeleine.

Rozmawiając tak, doszli w końcu do samochodu, po czym od razu ruszyli na lotnisko, by kupić bilety.

Rozdział 14

Niech będzie pochwalony! Ja do ojca Tadeusza – oznajmił Gabriel, znalazłszy się przy klasztorze jezuitów w Krakowie.

– Na wieki wieków. Tak, wiem. Proszę tędy – odpowiedział zakonnik i zaprowadził mężczyznę do biura ojca Tadeusza.

– Witaj, drogi przyjacielu! – gorąco przywitał Gabriela przeor.

– Witaj! Cieszę się, że cię wreszcie widzę. I wybacz, że tak długo się nie odzywałem. Sporo się w moim życiu wydarzyło, ale wszystko opowiem ci później. Teraz chciałbym porozmawiać o tym, o czym zaczęliśmy mówić przez telefon – powiedział Gabriel.

– Dobrze więc. Siadaj. Ojcze Karolu – przeor zwrócił się do stojącego przy drzwiach duchownego – proszę nikogo do mnie nie wpuszczać do odwołania. No, zamieniam się w słuch – dodał, kierując spojrzenie na Gabriela.

Po wysłuchaniu jego opowieści, duchowny był w szoku, że Madeleine i jej ekipie udało się dojść tak daleko.

– Czy wiesz coś więcej na ten temat? – spytał Gabriel.

– Powiem tylko tyle, że coś wiem, ale niestety nie wszystko. Jestem jednak pewien, że jeśli Madeleine otworzy

ostatnią komnatę, na pewno wyniknie z tego wielkie nie-
szczęście. Musimy pojechać do Rzymu, do tajnej siedziby
jezuitów. Tam dowiesz się wszystkiego i wtedy może powstrzymasz Madeleine...

— Czy sytuacja jest aż tak poważna? — spytał zmartwiony Gabriel.

— Niestety tak. Jedź teraz do domu, spakuj się i weź
ze sobą żonę, bo w razie czego będzie z nami bezpieczna.
Jutro po południu wylatujemy do Rzymu. Zarezerwuję
dla nas bilety.

— Dobrze. Zrobię tak, jak mówisz — odparł Gabriel.

Rozdział 15

G dy po dwóch godzinach Gabriel wrócił do domu, było już bardzo późno. Mężczyzna stwierdził, że Anna już śpi, więc położył się przy niej, ale bardzo trudno było mu zasnąć, bo wszystkie te wiadomości nie dawały mu spokoju. Jednak po jakimś czasie wreszcie pogrążył się w odmętach snu.

— Wstań, kochanie, to już południe, zaraz trzeba robić obiad — powiedziała Anna, widząc, że Gabriel jest już rozbudzony.

— Boże, to jest już aż tak późno? — spytał przestraszony, bo wiedział, że nie mają już dużo czasu, gdyż zaraz będą musieli lecieć do Rzymu.

— Tak, skarbie! Nie budziłam cię, bo tak smacznie spałeś. Dowiedziałeś się czegoś więcej?

— Tak, dowiedziałem się wielu rzeczy, ale opowiem ci to wszystko przy obiedzie, a póki co spakuj nas szybko, bo jeszcze dziś lecimy do Rzymu.

— Do Rzymu? — powtórzyła Anna, myśląc, że się przesłyszała.

— Dobrze słyszysz, ale teraz nie pytaj o nic, tylko się pośpiesz, a ja przygotuję obiad i zadzwonię do ojca Tadeusza, by zapytać, na którą zarezerwował bilety.

– W porządku, skarbie – odparła Anna, po czym zrobiła, jak kazał.

Gdy już Anna i Gabriel kończyli obiad, usłyszeli dzwonek do drzwi.

– Kto to może być? – spytała Anna, patrząc na Gabriela.

– Nie wiem, idź zobacz – odparł.

– Dobrze... Jezu, to Ada! – krzyknęła ze szczęścia Anna, otwierając jej drzwi.

– Naprawdę? – spytał z niedowierzaniem Gabriel, po czym szybko ruszył w stronę wejścia, by przywitać się z Adą.

– Witaj, mamusiu – powiedziała, całując mamę w policzek.

– Cześć, córeczko, co ty tu robisz? – spytała zdziwiona mama.

– Zaraz wszystko wam opowiem, mamo – odparła.

– Dobrze, to wchodź szybko.

– Cześć, tatku! – krzyknęła dziewczyna, widząc ojca, który już doszedł do drzwi, lekko się uśmiechając i rzucając się w jego ramiona.

– Witaj, skarbie – odpowiedział ojciec. – Ale nie rozpakowuj się, bo zaraz i tak wylatujemy do Rzymu.

– Ale jak to? Po co? – spytała, marszcząc czoło.

– Zaraz wszystko ci powiemy, a teraz siadaj do stołu i zjedz trochę tego, co zostało z obiadu – odpowiedziała Anna.

– Dobrze, mamusiu – odparła Ada, siadając do stołu wraz z rodzicami, po czym spytała: – Ale gdzie dokładnie się wybieramy?

– Do tajnej bazy zakonu jezuitów – odparł Gabriel.

— Super! — krzyknęła Ada.

— Kochanie, nie ciesz się tak. To oznacza, że sprawa jest poważna, a Madeleine jest w wielkim niebezpieczeństwie — odpowiedziała Anna. Martwiła się, mając w głowie te wszystkie wiadomości, które przed chwilą przekazał jej mąż.

— Jak to? Ona akurat na pewno sobie poradzi! — odparła Ada.

— Córeczko, mama ma rację. Madeleine jest w wielkim niebezpieczeństwie, a co gorsza, cały świat w nim jest. Musimy jechać do Rzymu i dowiedzieć się jak najwięcej o wszystkich komnatach i przekonać Madeleine, by nie otwierała tej ostatniej — odparł Gabriel.

— Ale skąd ci jjezuici wiedzą, co tam jest, skoro komnaty nigdy nie zostały otwarte? Może oni trochę przesadzają, bo sami coś ukrywają i nie chcą, by ktoś się czegoś o nich dowiedział? — zasugerowała Ada.

— Nie wiem, córeczko, jaka jest prawda, i dlatego musimy tam jechać i to sprawdzić.

— Dobrze, więc lecimy do Rzymu — skwitowała Anna.

— Dobrze, mamusiu — odpowiedziała dziewczyna, ciesząc się, że czeka ją nowa przygoda.

— A ja zadzwonię teraz do ojca Tadeusza, by mu powiedzieć, żeby zarezerwował jeszcze jeden bilet — wtrącił Gabriel, przerywając Annie i Adzie.

— Dobrze — odpowiedziały obie.

Po chwili Gabriel złapał za słuchawkę i zadzwonił do duchownego, mówiąc mu, by zarezerwował jeszcze jeden bilet. Dowiedział się też, że wylatują z Krakowa o godzinie 17.

Rozdział 16

No i już jesteśmy w Chinach – powiedział Dowkins, gdy samolot szczęśliwie wylądował w Chengdu.

– Tak, jesteśmy, ale jaki jest plan? No bo jak mamy teraz szukać tej góry, która jest najprawdopodobniej piramidą? – spytała Madeleine.

– Nie martwcie się. Załatwiłem nam przewodnika. Powinien już stać z transparentem z moim nazwiskiem – poinformował Azar.

– Coś ty! W jaki sposób tak szybko to wszystko załatwiasz? – spytał zdziwiony Dowkins.

– Niech zgadnę: pewnie masz jakiegoś zaprzyjaźnionego profesorka z tutejszego uniwersytetu, który ci załatwił przewodnika. Na dodatek masz już załatwione pozwolenie na ekspedycję. Nie mylę się? – powiedziała z ironią i lekkim uśmiechem Madeleine.

– Nie do końca, ale coś w tym stylu. Jest tylko jeden mankament: tym razem nie mamy żadnego pozwolenia na prowadzenie badań, więc musimy być ostrożni. Będziemy udawać turystów – odparł Azar.

– A to zaskakujące! Myślałam, że nasz wszechstronny profesorek ma kontakty na całym świecie – dodała uszczypliwie Madeleine.

– Niestety, nie mam aż tak szeroko zakrojonych kontaktów, jak ci się wydaje – odpowiedział Azar, myśląc sobie: „Dobrze, że jej nie powiedziałem, że tak naprawdę mamy to pozwolenie, bo zaczęłaby coś podejrzewać... Tak czy inaczej muszę być ostrożniejszy, bo chyba już mi za bardzo nie ufa".

– A o której ma się pojawić ten przewodnik, bo jeszcze go tu nie widać? Jest już 19 czasu europejskiego, a tutaj jest już 4 rano. Dobrze, że lecieliśmy nowym konkordem, podróż była bez przesiadki i trwała dwanaście godzin, bo inaczej chyba bym oszalał – stwierdził Dowkins.

– Powinien już być, ale widocznie się spóźnia – odpowiedział Azar.

– ok, więc usiądźmy i poczekajmy – powiedziała Madeleine. – A kiedy pojedziemy szukać tej piramidy? – zapytała jeszcze.

– Jak tylko zawieziemy wszystkie nasze rzeczy do hotelu i zjemy śniadanie – odpowiedział mężczyzna.

– Czy wyście powariowali?! Powinniśmy najpierw odpocząć i się przespać, a dopiero jutro szukać tej piramidy – oburzył się Dowkins.

– To ty chyba upadłeś na głowę! Nie możemy czekać do jutra, bo dziś wieczorem czasu europejskiego media dowiedzą się o komnatach i zacznie się taka wrzawa, że będziemy mieć problem z poszukiwaniami ostatniej komnaty. Właśnie dlatego zaraz po śniadaniu musimy ruszać i nawet dobrze się składa, że to będzie wczesny ranek. Dzięki temu będziemy mniej widoczni, a piramidę i komnatę znajdziemy bez trudu, bo mamy dokładne plany, które zrobiliśmy sobie z fotek z komnaty w Egipcie, a przewodnik zawiezie nas pod tę górę – odparła Madeleine. – O, patrzcie! To chyba właśnie nasz przewodnik – dodała Madeleine, widząc transparent z napisem „Azar".

– Tak, masz rację. Podejdźmy do niego – zasugerował Azar.

– Dzień dobry. Pan Azar? – spytał po angielsku Chińczyk trzymający transparent.

– Tak, to ja, a oto moi asystenci, doktor Karpenter i profesor Dowkins – odpowiedział Azar, przedstawiając swoich towarzyszy.

– Miło mi. Ja nazywam się Hu Jintao. Proszę za mną. Zawiozę państwa do hotelu. Tam umówimy się, kiedy wyruszymy na ekspedycję – powiedział mężczyzna.

Po godzinie wszyscy byli gotowi do drogi, a kolejną godzinę zajęła im podróż do piramidy. Gdy już tam dotarli, byli zaskoczeni górą piachu i trawy, którą zastali na miejscu ekspedycji, i nie mieli pojęcia, od czego mają zacząć.

W tym trudnym momencie głos zabrała Madeleine.

– Weźmy się za szukanie wejścia! Pokażcie mi te plany.

– Masz rację. Musimy zacząć szukać wejścia, nic innego nam nie pozostało – rzekł Azar.

– Wydaje mi się, że to będzie od strony północnej. Stoimy na południowej, więc musimy obejść górę – powiedziała Madeleine, przeglądając plany.

– Masz rację, Madeleine. Ruszajmy więc – odparł Dowkins.

Po dwudziestu minutach znaleźli się po drugiej stronie góry. Widać było, że ktoś już czegoś tam szukał, bo jej część u podnóża była przekopana.

– Myślę, że to wejście znajduje się mniej więcej w tym miejscu – powiedział Azar.

— Skąd ta pewność? – spytała Madeleine.

— Intuicja – odparł mężczyzna.

— W porządku, w takim razie zdajmy się na nią i kopcie – odpowiedziała. – Ja tymczasem sobie pochodzę i pooglądam dokładnie tę górę, bo podejrzewam, że trochę zejdzie, zanim do czegoś się dokopiecie – dodała.

Rozdział 17

Dobrze. Za trzy godziny wyruszamy do Rzymu, więc jedz, córeczko, bo to może nasz ostatni wspólny obiad – powiedział Gabriel.

– Dobrze, tatku – odpowiedziała Ada.

– Przestań, skarbie, tak gadać i straszyć Adę! Na pewno wszystko będzie dobrze – odparła z wyrzutem Anna.

– Obawiam się, że czekają nas trudne czasy... Ale może masz rację, skarbie... Może wszystko się jakoś ułoży i nic złego się nie wydarzy...

– Mamo, ja przecież jestem dorosłą kobietą! Rozumiem, że coś się może stać, ale nie przesadzajcie... Nic strasznego się nie wydarzy – uspokajała Ada.

– Dobrze. Już o tym nie mówmy! Zjedzmy i spakujmy się dokładnie. Potem pojedziemy na lotnisko, bo około dwie godziny wcześniej trzeba być na odprawie – odparł Gabriel.

Rozdział 18

J est! Mam coś! – krzyknął Dowkins.

– No nareszcie! Już godzina minęła i myślałam, że będę musiała spacerować całą wieczność – odparła z przekąsem Madeleine. – Dobra, pokażcie to – dodała.

– To są jakieś wrota. Dobra robota, Dowkins – powiedział Azar, pomagając mu dalej oczyszczać wrota z ziemi.

– Madeleine, spójrz na te napisy! – zawołał Dowkins.

– Te hieroglify są po chińsku, a ja przeciętnie znam ten język. Może niech pan Hu Jintao powie nam, co tam jest napisane – powiedziała Madeleine, patrząc jednocześnie na przewodnika.

– Dobrze, mogę spróbować, ale już widzę, że to nie będzie łatwe, bo to starożytny chiński język... No ale spróbuję, bo trochę się go uczyłem w szkole średniej. Wybrałem go w ramach dodatkowych zajęć – wyjaśnił Hu.

– W takim razie proszę się skupić. Nie będziemy przeszkadzać – zadeklarowała Madeleine.

– Dobrze. Już odczytuję. Tu jest napisane: „Ta piramida jest zbudowana na cześć Szatana, a jej komnata jest ostatnią z trzech, które prowadzą do rozpoczęcia końca świata" – przetłumaczył Hu, troszkę się jąkając, ponieważ miał spore problemy z tym tłumaczeniem.

– To niewiarygodne... Jak to możliwe, że oni czcili szatana? Przecież ta piramida – jak głosi legenda – była zbudowana jako grobowiec dla wielkiego cesarza z dynastii Ming – powiedział zszokowany Dowkins. „Czyżby to, co powiedział mi zakonnik, było jednak prawdą" – pomyślał, ponieważ wcześniej nie wierzył w to, co wtedy usłyszał.

– Rozumiem twoje zdziwienie – odparła Madeleine – ale, jak już wiesz, po otwarciu tamtych komnat wszystkie legendy i historie na ich temat okazały się bzdurami. Te piramidy były zbudowane około 12 tysięcy lat przed naszą erą, więc wszystko, co mówią święte pisma o stworzeniu świata, to muszą być mity na temat Atlantów oraz ich cywilizacji. Dlatego właśnie musimy się dowiedzieć, o co w tym chodzi – dodała.

– Masz rację. Musimy otworzyć ostatnią komnatę i wtedy będziemy wiedzieć wszystko o naszym pochodzeniu. Coś czuję, że to odkrycie wstrząśnie całą ludzkością – odpowiedział Azar. – I to wstrząśnie dosłownie... – dodał cichutko, uśmiechając się ironicznie pod nosem.

– No dobra, ale jak otworzyć te wrota? Tu nie ma żadnych wskazówek – zauważył Dowkins.

– Musimy znaleźć jakąś dźwignię. Odkop ten piach u dołu drzwi! Może tam coś jest – powiedziała Madeleine.

– Już odkopuję – odparł Dowkins i natychmiast wziął się do pracy.

Po chwili ich oczom ukazała się głowa jakiegoś potwora z otwartą paszczą i rogami. Całość przypominała szatana.

– Spójrzcie! – krzyknął Dowkins, myśląc sobie, że słowa mnicha są chyba prawdą i jeśli Madeleine zdoła otworzyć komnatę, będzie musiał ją powstrzymać.

– Tak, to jest piramida szatana... Odsuń się. Zaraz zobaczę, czy w tej paszczy nie ma jakiejś dźwigni – powiedziała Madeleine.

Po chwili włożyła tam rękę i poczuła jakiś przycisk. Gdy go nacisnęła, zobaczyła, że coś zaczyna się dziać, więc szybko odskoczyła. Wszyscy zamarli, nie dowierzając jeszcze, że wrota się otwierają.

– Udało się! – krzyknęła Madeleine.

– Ty się tak nie ciesz, bo ja myślę, że to wszystko jednak prawda i że spowodujemy tę Apokalipsę... – powiedział zmartwionym głosem Dowkins.

– A co ty tak nagle zacząłeś wierzyć w te wszystkie ostrzeżenia? – spytała Madeleine.

– Nie wiem już, w co mam wierzyć, ale to wszystko zaczyna nabierać realnych kształtów i zaczynam mieć złe przeczucia – odparł Dowkins.

– Przestań gadać bzdury! Wchodzimy do środka i zaraz się przekonamy na własne oczy, po co tak naprawdę te komnaty zostały zbudowane – odpowiedział Azar.

– Azar ma rację. Chodźcie! Zobaczymy, co tam jest. Zapalcie latarki, a ty, Azar, włącz kamerę – dodała Madeleine.

– Przepraszam państwa, ale ja nie idę. Moja misja już się skończyła – powiedział Hu Jintao.

– Dobrze. W takim razie niech pan poczeka w samochodzie. My sobie już poradzimy. Dziękujemy panu za wszystko – odparła Madeleine i pożegnała się z Hu. – A my ruszamy w drogę.

– Coś długi ten korytarz – odezwał się Dowkins, gdy szli już przeszło minutę.

– Trochę tak, ale spójrzcie! Chyba coś widać... – odpowiedziała Madeleine, przyspieszając nieco kroku.

– To chyba wrota do komnaty! – krzyknął Azar.

– Tak, to pewnie one – stwierdziła Madeleine. – Azar, zapal te dwie pochodnie, które znajdują się przy wrotach.

– Już zapalam – odparł mężczyzna.

W świetle pochodni ukazał im się cudowny widok na wrota. Nie były wykonane z kamienia, jak poprzednie, lecz chyba ze srebra, a widniejące na nich napisy były ze złota. Widok był przepiękny.

– A gdzie są hieroglify, które otwierają komnatę? – spytał Dowkins.

– Słuszna uwaga. To bardzo dziwne, że nie ma ich nad wrotami – odpowiedziała Madeleine. – Czekaj! Trzeba przeczytać, co tu jest napisane – dodała, gdy zauważyła napisy. – Wówczas dowiemy się wszystkiego. Jednak dziwi mnie, że te napisy są takie jak w Egipcie... To znaczy, że są w tym samym języku – dodała.

– Tak, to bardzo dziwne... Przeczytaj je, proszę – powiedział Azar.

– Już czytam: „Jeśli jesteś już tak daleko, oznacza to, że pragniesz końca świata. Ta komnata jest Komnatą Szatana, której otwarcie spowoduje Apokalipsę. Aby otworzyć komnatę, wystarczy nacisnąć jeden symbol".

– Zwróciłaś uwagę, że ten symbol w środku jest podobny do tych z poprzednich wrót? – spytał Dowkins.

– Tak. Ten tutaj wygląda dokładnie tak jak wąż i jest podobny do tamtych. Właśnie dlatego w czasie, gdy to czytałam, przetłumaczyłam go jako „szatan". Podejrzewam, że gdy go nacisnę, wrota się otworzą, lecz jeszcze raz wszystko sprawdzę. Dopiero wówczas go nacisnę – odpowiedziała Madeleine.

– No to dawaj, Madeleine! Zróbmy to i dowiedzmy się, w jakim celu to wszystko zbudowano – powiedział podekscytowany Azar.

– Chwileczkę. Zaraz to zrobię – odparła kobieta i po chwili nacisnęła hieroglif przypominający węża.

W tym momencie wrota zaczęły się odsuwać. Po wejściu do komnaty wszyscy razem krzyknęli:

– O mój Boże!

Rozdział 19

Witajcie, moi drodzy – przywitał ich mnich w szacie takiej samej jak papieska, z tym że barwy czarnej. Na głowie miał również papieską piuskę, także czarną.

– Witaj, Ojcze Święty! To mój przyjaciel Gabriel, jego żona Anna oraz ich córka Ada – przedstawił całą trójkę ojciec Tadeusz, gdy już znaleźli się w tajnej bazie zakonu w Rzymie.

– Ksiądz jest czarnym papieżem? – spytała lekko podekscytowanym głosem Anna.

– Tak się mówi zwyczajowo, ale mówcie mi „ojcze Marino" – odparł tamten z uśmiechem. – A teraz chodźmy szybko do moich uczonych. Oni wszystko wam opowiedzą. Może znajdziemy ratunek dla tej ziemi... – dodał.

– Dobrze, Ojcze Święty – odpowiedział ojciec Tadeusz.

– Zaraz wam opowiem, czego się dowiedzieliśmy – powiedział ojciec Marino. – Wtedy ty, Gabrielu, zadzwonisz do swojej córki i może uda ci się ją odwieść od zamiaru otwarcia ostatniej komnaty. O ile nie jest jeszcze za późno... Póki co przedstawię wam kilka osób i wszystko pokażę – dodał.

– Dobrze, ale czy naprawdę staną się tak straszne rzeczy, jeśli Madeleine otworzy tę komnatę? – spytał Gabriel.

– Niestety tak. Zaraz wszystkiego się dowiecie – rzekł

ojciec Marino. – Podejdźcie, proszę, tutaj. To profesor Bauman. Zajmuje się odcyfrowywaniem Biblii oraz pism apokryficznych. Opowie wam, co do tej pory odkrył – odparł ojciec Marino.

– Dzień dobry państwu! – odezwał się profesor. – Zacznę od tego, że odszyfrowujemy tu Ewangelię Judasza, w której zapisano, kto zbudował te trzy piramidy i w jakim celu, a dokonano tego w przybliżeniu 13 tysięcy lat przed naszą erą. Istniała wówczas wielka cywilizacja, tak zwani Atlanci. Byli oni na tak wysokim poziomie rozwoju, że mogli nawet nawiązywać kontakt z zaświatami. I któregoś razu skontaktował się z nimi sam Szatan, który obiecał, że obdarzy ich wielką umiejętnością telekinezy i jeszcze bardziej zwiększy ich zdolności rozumowania, nawet do stu procent potencjału mózgu, jeżeli zbudują mu wrota, by mógł przybyć na Ziemię. Atlanci nie zdawali sobie jednak sprawy z tego, że przybycie Szatana na Ziemię może zagrozić ludziom w taki sposób, że staliby się jego niewolnikami. Do zawarcia umowy doszło, bo Atlanci zapragnęli większej mocy i wiedzy. Po pertraktacjach ustalili z Szatanem, że zbudują mu te wrota, a tylko jedna osoba będzie mogła je otworzyć. Tą osobą będzie dziewica bez grzechu i o czystym sercu, która otworzy je z własnej, nieprzymuszonej woli, zaś Atlanci zbudują je w takich miejscach i w taki sposób, w jaki będą chcieli. Szatan przystał na te warunki, po czym dał im moc, dzięki której bez wysiłku mogli zbudować wszystkie piramidy, które znamy, a także budowle wzniesione na ich kontynencie. Były one ponoć dużo bardziej okazałe i piękniejsze niż te, które zachowały się do dziś – opowiadał profesor.

Atlanci zbudowali więc te trzy piramidy, a w każdej z nich ukryte były komnaty zapieczętowane tak, by mogła je otworzyć tylko bardzo inteligentna osoba. Ponadto, jak powiedziałem, miała to być dziewica o czystym sercu. Twórcy wrót byli pewni, że nigdy nie narodzi się kobieta, która spełniałaby te wszystkie warunki, bo z doświadczenia wiedzieli, że ludzie – a w szczególności kobiety – są albo dobrzy (ale wtedy niezbyt mądrzy), albo mądrzy i zdecydowani (ale za to grzeszni). I jeszcze jedno: nawet gdyby wybrana kobieta była mądrą dziewicą o czystym sercu, to jeszcze musiałaby chcieć szukać tych komnat i otworzyć je z własnej woli. Oszacowali prawdopodobieństwo wystąpienia tych wszystkich okoliczności razem na jedną do miliarda.

– I teraz pozostaje pytanie: czy pańską córkę można uznać za kobietę, która jest czysta i mądra? Jeśli tak, wówczas świat znalazł się w niebezpieczeństwie. Jeśli nie, to nic się nie wydarzy – powiedział ojciec Marino.

– Oczywiście, że moja córka to czysta i dobra osoba – odparł Gabriel.

„Gdyby wiedzieli, kim jestem, to wiedzieliby również, że Madeleine jest jedyną kobietą czystą jak łza..." – pomyślał Gabriel.

– Ojcze Marino! – odezwał się profesor Bauman. – Odszyfrowałem jeszcze coś. Istnieję przepowiednia, w której napisano, że kobieta, która otworzy komnaty i sprowadzi Apokalipsę, będzie dziewicą spod znaku Anioła – poinformował.

– Jak... co pan powiedział...? – spytał zszokowany Gabriel.

– Ta kobieta będzie spod znaku Anioła. Cokolwiek to oznacza... – odparł profesor. – Czy pan rozumie, o co chodzi z tym znakiem?

– Nie... Raczej nie... – lekko zmieszanym głosem odpowiedział Gabriel.

„Boże... To nie przelewki... Oni mówią prawdę! Muszę powstrzymać Madeleine, bo ona jest spod znaku Anioła... Jednak nie mogę im nic więcej teraz powiedzieć..." – pomyślał.

– Skoro już pan to wszystko wie, czy postara się pan przemówić córce do rozsądku i powstrzymać ją od zamiaru otwarcia ostatniej komnaty? – spytał ojciec Marino.

– Tak, ojcze. Zrobię wszystko, by ją powstrzymać – odpowiedział Gabriel.

„Nawet jeśli będę musiał jej powiedzieć, kim naprawdę jestem..." – pomyślał.

– To dzwoń, skarbie, do naszej córki i to szybko. Nim będzie za późno... – dodała Anna, która usłyszawszy te rewelacje, była teraz strasznie roztrzęsiona, gdyż nie mieściło jej się w głowie, że to właśnie Madeleine może spowodować Apokalipsę.

– Dobrze. Już dzwonię – odpowiedział Gabriel, po czym wziął do ręki telefon i wykręcił numer.

W słuchawce usłyszał jednak tylko, że Madeleine znajduje się poza zasięgiem.

– No i co? – spytała Ada, mając nadzieję, że Madeleine odbierze, bo to, co przed chwilą usłyszała, wstrząsnęło nią; czuła, że naukowiec ma rację.

– Madeleine jest poza zasięgiem, a to znaczy, że pewnie są już przy piramidzie. Tylko cud może nas uratować, bo jak znam Madeleine, to ona na pewno zdoła otworzyć tę komnatę... – rzekł Gabriel.

– W takim razie ludzkość jest zgubiona... – odezwał się ojciec Marino.

Rozdział 20

To...! To jest... niewiarygodne! Jak ktoś mógł zbudować coś tak pięknego? – krzyknęła Madeleine.

– Masz rację, Madeleine... To jest przepiękne... Te ściany to chyba coś jak złoto połączone ze srebrem, a ten wodospad na końcu to chyba płynna rtęć. Czegoś takiego w życiu nie widziałem... – odparł zachwycony Dowkins.

Komnata była inna niż poprzednie, bo około trzy razy większa. Wodospad tworzyła rtęć, która spływała do małego bajorka. Sufit pokrywały mieniące się brylanty, które wyglądały jak gwiazdy, do tego ułożone zgodnie z dzisiejszymi konstelacjami.

– Macie rację... – stwierdził Azar. – To jest wspaniałe, ale nie ma co tyle gadać, tylko trzeba zakończyć misję. Niech Madeleine położy dłonie na tej ostatniej płaskorzeźbie – dodał.

Azar wiedział, że Atlanci opracowali taki mechanizm, który pozwala poprzez krew dowiedzieć się, czy dana kobieta jest dziewicą.

– Dobrze. Dowiedzmy się wreszcie, o co w tym wszystkim chodzi... Jestem strasznie podekscytowana, bo czuję, że to będzie coś niewiarygodnego... – odpowiedziała Madeleine, podchodząc do płaskorzeźby.

– Madeleine, poczekaj! Może jeszcze się zastanów, bo jeżeli doprowadzimy do jakieś katastrofy, to sobie tego nie wybaczysz! – krzyknął Dowkins.

– Nie gadaj głupot! Co takiego może się stać? – spytała.

– Nie słuchaj go, Madeleine – powiedział Azar.

– Przestań opowiadać bzdury! – powiedziała ostro kobieta, zwracając się do Dowkinsa. – Nic strasznego się nie stanie. To jest na pewno jakiś mechanizm, który otwiera coś niezwykłego, dużo wspanialszego niż dotychczas widzieliśmy... Dobra, zaczynam – dodała podekscytowana i zaczęła zbliżać dłonie ku płaskorzeźbie. Gdy już prawie jej dotknęła, usłyszała krzyk Azara.

– Nie...! – wrzasnął mężczyzna, który zauważył, że Dowkins trzyma w dłoni sztylet i zmierza ku Madeleine.

Azar rzucił się w jego stronę.

– Boże... co ty zrobiłeś, Dowkins?! – krzyknęła Madeleine wstrząśnięta tym, co zobaczyła.

– Ale... ale... To nie tak... Boże, co ja zrobiłem...? – wyjąkał Dowkins, trzymając nóż wbity w brzuch Azara. – Dlaczego pozwoliłem im otworzyć tę komnatę i zwlekałem aż do ostatniej chwili, a teraz jestem mordercą – wyrzucał sobie.

– Ty morderco! Ty bandyto! Czemu? Czemu?! – krzyczała Madeleine ze łzami w oczach.

– Madeleine, nie martw się o mnie... Proszę cię... dotknij tej płaskorzeźby... Szybko, błagam, zrób to, zanim umrę... Chcę zobaczyć, co odkryliśmy... – wybełkotał Azar.

– Nie! Nie rób tego, Madeleine! – zaprotestował Dowkins. – Ten zakonnik powiedział mi, że jeśli to zrobisz, nastąpi koniec świata! Zapłacił mi, bym do tego nie dopuścił...

Na początku myślałem, że ten człowiek bredzi, ale teraz sądzę, że ma rację... – dodał.

– Przestań go słuchać, Madeleine! To zwykły morderca! Proszę cię... zrób to wreszcie... – z trudem wycharczał Azar.

– Matko kochana... Co ja mam robić? Coś ty najlepszego zrobił, Dowkins? – powiedziała Madeleine, jednak po chwili zaczęła zbliżać dłonie ku płaskorzeźbie.

– Tak... Proszę, zrób to! – krzyknął Azar.

Chwilę później dłonie Madeleine spoczęły na płaskorzeźbie. Kobieta poczuła na koniuszkach palców znajome ukłucie. Niedługo potem cała piramida zaczęła się trząść.

– Jezu... Co się dzieje?! – krzyknęła Madeleine, odskakując od płaskorzeźby i patrząc w kierunku leżącego na ziemi i krwawiącego Azara.

– Nic, moja droga. Dziękuję ci za to, że mnie posłuchałaś i że teraz mój ojciec, Szatan, zapanuje nad tym światem – odparł Azar, podnosząc się i zmierzając w stronę Madeleine.

– Co ty wygadujesz, Azar? – wrzasnęła kobieta. – Boże... twoja rana się zagoiła... Kim... czym ty jesteś? – spytała zszokowana. – Co ja zrobiłam?!

– Tak, moja kochana... Jestem Synem szatana. A ty właśnie rozpoczęłaś Apokalipsę... – odparł z szyderczym uśmiechem Azar. W jego oczach płonęły ognie.

– To nie może być prawda! Boże... – mówiła Madeleine, nie mogąc uwierzyć w to, co widzi. – Dowkins, proszę cię... Powiedz, że to nie jest prawda...

– A nie mówiłem, żebyś tego nie robiła, że to się źle

skończy...? Co my teraz zrobimy? Jak uratujemy ten świat przed zagładą? – wybełkotał przerażony profesor.

Po chwili ściany piramidy zaczęły się odchylać niczym płatki kwiatu.

– Nic już nie pomoże temu światu! Żegnajcie, moi drodzy – odparł Azar, śmiejąc się szyderczo, po czym zbliżył się do Dowkinsa i dźgnął go sztyletem prosto w serce.

– Nie...! Zostaw go! – krzyknęła Madeleine i szybko podbiegła do Dowkinsa, lecz ten już leżał na ziemi niemal bez życia.

Azar uniósł się do góry i wyleciał z piramidy, machając Madeleine na pożegnanie.

– Dlaczego ja cię nie posłuchałam...? Proszę... nie umieraj! – mówiła Madeleine, obejmując Dowkinsa.

– Błagam... ocal nasz świat... – powiedział ostatnim tchem Dowkins.

– Dobrze... Zrobię wszystko, co w mojej mocy... Proszę cię... wybacz mi – powiedziała, trzymając Dowkinsa w ramionach i płacząc.

Nagle pojawił się słup światła, który wystrzelił w górę ze środka piramidy, nad którą coś zaczęło się materializować.

„Boże... co to jest?" – gorączkowo zastanawiała się Madeleine. Po chwili postanowiła wykorzystać swoje moce i, trzymając ciało Dowkinsa, uniosła się ku górze piramidy. Kiedy już znalazła się nad słupem światła, zobaczyła wiszącego w powietrzu po drugiej stronie Azara. Korzystając z okazji, zapytała go:

– Co to ma być?

– Widzę, że ty też jesteś kimś wyjątkowym, ale i tak nie powstrzymasz czterech jeźdźców apokalipsy, którzy za chwilę zniszczą całą ziemię! – odpowiedział, śmiejąc się szyderczo, Azar.

— To się jeszcze okaże! Obiecuję ci, że ciebie zabiję pierwszego – odpowiedziała stanowczo Madeleine.

— Żegnaj! – odparł Azar i zniknął.

„Co ja mam teraz zrobić? Co się tu właściwie stało?" – pytała sama siebie Madeleine, patrząc na słup światła, na którego szczycie już prawie zmaterializował się jeden z jeźdźców apokalipsy. Po chwili postanowiła, że odłoży ciało Dowkinsa na ziemię. Zrobiła to, a następnie podleciała do Jeźdźca i zapytała go po prostu o to, co się właściwie dzieje.

Rozdział 21

N ie martwcie się! Mamy tam naszego człowieka – krzyknął ksiądz Chose, podbiegając do nich.

– Jak to swojego człowieka?! Kogo? – spytał ojciec Marino.

– Jeden z naszych braci z Egiptu przekupił profesora Dowkinsa, by ten nie dopuścił do otwarcia ostatniej komnaty.

– Ale jak miałby to zrobić? – spytał Gabriel.

– Przykro mi to mówić, ale Dowkins dostał polecenie, żeby – jeżeli nie udałoby się powstrzymać Madeleine w humanitarny sposób – ją zabić... – odparł ksiądz Chose.

– Coś ty powiedział?! Boże... Co on wygaduje?! Jak to zabić? – krzyknęła przerażona Anna.

– Czy wyście oszaleli?! Kto wam kazał posuwać się do takich rzeczy?! – krzyknął oburzony ojciec Marino.

– Przepraszam, ale ja nic więcej nie wiem. Przyleciałem tu dziś rano, właśnie po to, by się dowiedzieć, co mamy dalej z tym robić – odparł ksiądz Chose.

– Boże... I co my teraz mamy robić? – spytał zmartwiony ojciec Marino.

– Proszę się nie martwić. Moja córka nie da się tak łatwo pozbawić życia. Wiem, co mówię. Bardziej martwi mnie to, co się stanie, jeśli uda im się otworzyć tę komnatę – odparł Gabriel.

– Co ty wygadujesz, Gabriel? A jeśli on ją zabije? – spytała przestraszona Anna.

– Spokojnie, skarbie. Nasza córeczka, jak wiesz, jest bardzo silna.

– Tak, mamo. Nie martw się o Madeleine. Tata ma rację: nic jej nie będzie. I nic się nie stanie światu. To wszystko tylko jakieś legendy... – odparła Ada, by uspokoić mamę, choć sama miała obawy.

Gdy tylko to powiedziała, wszyscy poczuli, jak trzęsie się ziemia.

– Boże, co się dzieje?! – krzyknęła Anna.

– Szybko! Chodźmy do schronu! Jesteśmy przygotowani na taką ewentualność – krzyknął ojciec Marino.

Wszyscy pobiegli za nim – także obecni na miejscu naukowcy – a gdy już weszli do schronu, Gabriel, Anna i Ada wraz z naukowcami oniemieli ze zdziwienia, bo to, co zobaczyli, było dla nich szokiem.

– Czy to...?

– Tak. To są wszystkie autentyczne relikwie chrześcijaństwa. Ta przed nami to Święty Graal. Po prawej widać prawdziwy Całun Turyński, a po lewej Arkę Przymierza. Są one w naszym zakonie od 500 lat i właśnie dlatego nikt ich nigdy nie znalazł – powiedział ojciec Marino.

– Ale przecież one świecą... – dodała zdziwiona Ada.

– Tak. To światło to boska moc, jaką posiadają relikwie. Ułożono je tak, by formowały trójkąt, a ich promienie tworzyły na ziemi gwiazdę Dawida, która ma chronić osoby przebywające wewnątrz tego znaku – dodał ojciec Marino.

– To niewiarygodne... Czemu mi ojciec o tym wcześniej nie powiedział? – spytał profesor Bauman.

– Przykro mi, synu, ale to nasza największa tajemnica, i zawsze wiedzą o niej tylko dwie osoby: czarny papież i jeden z jego asystentów. Gdy jeden z nich umiera, przed śmiercią przekazuje tajemnicę swemu następcy.

– Niebywałe, że ta cała religia to prawda... Boże, wybacz mi, że w ciebie nie wierzyłem – powiedział oszołomiony profesor Bauman.

– Jak to pan nie wierzył? W takim razie dlaczego zajmował się pan odszyfrowywaniem kodu Biblii? – spytał Gabriel.

– Pozwól, mój drogi, że ci to wytłumaczę – wtrącił się ojciec Marino. – Profesor Bauman jest po prostu jednym z najlepszych informatyków świata i dlatego zatrudniliśmy go, by napisał program do odcyfrowywania Biblii – wyjaśnił. – No dobrze. Dość tych tłumaczeń. Musimy zobaczyć, co się stało tam, na zewnątrz.

– Ale w jaki sposób? – spytał Gabriel.

– Mamy tu najnowocześniejszy sprzęt na świecie – odparł duchowny i wcisnął przycisk na ścianie.

Po chwili ukazał się ogromny monitor, na którym były dostępne wszystkie kanały informacyjne świata.

– Jezu, ale sprzęt! – krzyknął profesor Bauman.

– Tak, profesorze. To jeden z najlepszych komputerów świata, wykonany specjalnie na nasze zamówienie. Przechowywane są w nim wszystkie dane, które pan już odkrył, i wszystkie pańskie programy, więc zaraz weźmie się pan dalej do pracy – odpowiedział ojciec Marino.

– To wspaniale – ucieszył się profesor.

– Dobrze. Włączę włoski program informacyjny – powiedział duchowny, podchodząc do ekranu.

Gdy dotknął kwadracika z symbolem włoskiej telewizji, na całym wielkim ekranie zaczęła być wyświetlana audycja; od razu też włączyły się głośniki, a po chwili ukazał się reportaż ze spekulacjami na temat ostatniego trzęsienia ziemi.

Witamy państwa!

Stało się coś niewiarygodnego: zatrzęsła się cała ziemia. Sejsmografy pokazały, że były to wstrząsy o sile 4 stopni w skali Richtera. Jednak tym, co najbardziej wstrząsnęło naukowcami, były cztery słupy światła wychodzące z trzech piramid; jeden z nich pochodzi z Bieguna Południowego. A wspomniane piramidy to Piramida Cheopsa z Egiptu, Piramida Słońca z Meksyku i Piramida Cesarza z Chin.

Pokażemy państwu zdjęcia satelitarne z satelity NASA. *Zdjęcia te mają około dwóch minut opóźnienia w stosunku do czasu rzeczywistego. To niesamowite zjawisko postawiło wszystkie państwa w stan najwyższej gotowości bojowej, ponieważ eksperci sądzą, że może to być jakiś atak terrorystyczny. Lecz mamy również inne przypuszczenia. Nasza korespondentka z Egiptu, z którą za chwilę się połączymy, powiedziała nam, że ma to związek z odkryciem tak zwanej komnaty wiedzy i że najprawdopodobniej zostały odkryte jeszcze dwie komnaty: w Piramidzie Słońca i Piramidzie Cesarza. Właśnie dlatego z tych piramid wychodzą promienie. Nasza korespondentka dowiedziała się także, że może to być początek Apokalipsy. Jeśli okaże się, że to prawda, już nic nas nie uratuje...*

A teraz mamy połączenie na żywo z Egiptem! Witaj, Soniu! Co się dzieje przed Piramidą Cheopsa?

– Witajcie! To coś pięknego... Piramida odchyliła się niczym płatki kwiatu i wystrzelił z niej promień światła, a na końcu tego promienia, jak państwo widzą, wyłania się jakaś postać, która teraz przypomina jeźdźca na koniu. Jak twierdzą niektórzy, wygląda na to, że jest to jeden z jeźdźców apokalipsy, który za chwilę zacznie niszczyć nasz świat! Lecz póki co jest to równocześnie coś cudownego... Przed piramidą stoją już czołgi. Wojsko i policja są gotowi do ataku, jeżeli coś zacznie się dziać...

– Boże mój... To się jednak dzieje naprawdę! – krzyknęła Anna. – Co my teraz zrobimy? I co się dzieje z Madeleine?

– Niestety, Madeleine, jak widać, udało się otworzyć komnatę. Teraz, jak sądzę, jesteśmy już zgubieni, a świat znajdzie się pod panowaniem Szatana... – powiedział Gabriel.

– Nie załamuj się, mój synu. Nie traćmy nadziei... – odparł ojciec Marino, po czym zwrócił się do Baumana. – Profesorze! Tu jest klawiatura. Proszę spróbować znaleźć fragment opisujący tę sytuację w Biblii! Może pojawi się jakieś rozwiązanie... – dodał. – Proszę wszystkich, by weszli do środka gwiazdy Dawida, bo tam będziemy bezpieczni, a my z profesorem i Gabrielem zaraz do was dołączymy.

– Tato, ale co będzie z Madeleine? Jak ona wróci do domu? – spytała Ada.

– Nie martw się, skarbie. Ona na pewno sobie poradzi. Ale masz rację: musimy ją powiadomić, gdzie jesteśmy.

Musi tu do nas dołączyć, więc dzwoń do niej, aż odbierze. Wtedy wszystko jej opowiedz – odpowiedział Gabriel.

– Dobrze, tato – odpowiedziała przerażona Ada.

– Czemu pan jest taki spokojny o swoją córkę? Przecież gdy za chwilę zmaterializują się jeźdźcy apokalipsy, Madeleine nie da już rady dostać się do Rzymu – zagadnął Bauman.

– Może to zabrzmi dziwnie, ale... nie martwcie się: ona naprawdę sobie poradzi – odparł Gabriel.

– Dobrze, więc skupmy się na odszyfrowywaniu – wtrącił ojciec Marino.

Rozdział 22

Gdy już jeździec apokalipsy się zmaterializował, Madeleine podleciawszy do niego, zwróciła uwagę, że jest to jeździec, który symbolizuje zarazę, bo siedział na białym koniu i miał w dłoni łuk.

– Aniele, możesz mi powiedzieć, czemu tu przybyłeś? – krzyknęła Madeleine.

Jeździec w ogóle nie zareagował, tylko zaczął się rozglądać za miejscem, w które będzie najkorzystniej wystrzelić strzałę. Już napinał łuk, gdy Madeleine ponownie krzyknęła:

– Co ty chcesz zrobić?

I tym razem jednak jeździec ją zignorował, po czym wystrzelił strzałę w upatrzone miejsce. Ale Madeleine użyła swojej mocy wiatru i skierowała strzałę ku górze. W tym momencie anioł zareagował i zwrócił się do niej.

– Jak śmiesz ingerować w to, co boskie?

– To ty mi powiedz, po co tu przybyłeś? I jak cię powstrzymać? – spytała Madeleine.

– Nikt i nic nas nie powstrzyma! To jest początek końca, a my jesteśmy zwiastunami Apokalipsy. Taki jest rozkaz Boga.

– Przestań gadać jak nawiedzony, tylko powiedz mi, o co tu chodzi.

– Jestem Jeźdźcem Zarazy i zaraz umrzesz, jeżeli nie zejdziesz mi z drogi – odpowiedział, napinając kolejną strzałę.

– Nie rób tego! I tak cię powstrzymam – ostrzegła go Madeleine i po chwili całą mocą wiatru machnęła w jeźdźca. On jednak nawet nie drgnął i wystrzelił strzałę, która wbiła się w ziemię. Z niej to wyleciały pyły, które zaczęły rozprzestrzeniać się we wszystkie strony i zarażać wszystkie napotkane na swej drodze stworzenia przeróżnymi chorobami, jakie istnieją na Ziemi.

„Boże, co ja mam teraz zrobić? Jak go powstrzymać?" – myślała przerażona Madeleine. Nagle usłyszała dzwonek w telefonie, postanowiła więc odebrać.

– Tak?

– To ty, Madeleine?

– Tak, to ja.

– Całe szczęście, że żyjesz, siostrzyczko – odezwał się znajomy głos. Była to Ada.

– Nie wiem, czy to aż takie szczęście... Zaraz i tak pewnie wszyscy zginiemy – odpowiedziała Madeleine.

– Nie trać nadziei! Na pewno jakoś to powstrzymamy. Słuchaj mnie uważnie: ja i rodzice jesteśmy w Rzymie w tajnej siedzibie jezuitów i próbujemy odkodować Ewangelię Judasza, więc może znajdziemy sposób na odwrócenie tego wszystkiego. Tata powiedział, żebyś szybko do nas przyleciała, ale domyślam się, że zajmie ci to z piętnaście godzin. W każdym razie postaraj się być tu jak najszybciej, póki jeźdźcy apokalipsy nie zniszczą całej ziemi.

– To ty już wiesz o jeźdźcach? – spytała zdziwiona Madeleine.

– Tak, wiem. Mówią o tym w każdej stacji telewizyjnej świata.

– A gdzie jeszcze pojawili się jeźdźcy?

– Drugi i trzeci wyszli z Piramidy Cheopsa i Piramidy Słońca, a czwarty pojawił się na Biegunie Południowym. W Egipcie wojsko ostrzeliwało jeźdźca, lecz on wszystkich pozabijał, a jemu nawet pyłek z głowy nie spadł... A czy tamten nic złego ci nie zrobił?

– Jestem cała i zdrowa! Wyślij mi SMS-em waszą dokładną lokalizację. Będę tam najszybciej, jak się da. A, jeszcze jedno: jesteście bezpieczni? – spytała Madeleine.

– Tak. Ojciec Marino zaprowadził nas do schronu, w którym są trzy najprawdziwsze relikwie chrześcijaństwa! Nie uwierzysz: są tu Arka Przymierza, Święty Graal i Całun Turyński, a wszystkie świecą boskim światłem i tworzą gwiazdę Dawida. Dzięki nim będziemy bezpieczni.

– To niewiarygodne! Marzyłam o tym, by odnaleźć te relikwie, a tymczasem one były w jednym miejscu! Świetnie, że jesteście tam bezpieczni. Powiedz tacie, że Azar jest synem Szatana i to on robił wszystko, bym otworzyła komnaty. A, jeszcze jedno: Azar zabił Dowkinsa... – oznajmiła Madeleine.

– Boże... Co ty mówisz? Czy ci się coś nie pomyliło, siostra?! – spytała zszokowana Ada.

– Wiem, co widziałam, i słyszałam to, co sam Azar mi powiedział.

– To wszystko... jest... niewiarygodne... – odpowiedziała Ada, jąkając się.

– Tak, masz rację. To wszystko jakiś obłęd, ale nie martw się! Jakoś sobie z tym poradzimy – odparła Madeleine.

— Dobrze, siostra. To pa, pa.

— Pa, pa! Kocham was! – odpowiedziała Madeleine i rozłączyła się.

„I co ja mam teraz robić?" – pomyślała. „Muszę chyba wykorzystać swoją moc i jak najszybciej polecieć do Rzymu...".

Rozdział 23

Tatusiu! Rozmawiałam z Madeleine i powiedziała mi, że nic jej się nie stało – powiedziała Ada.

– Tak? To świetnie. Co ci jeszcze powiedziała? – spytał uradowany Gabriel.

– Straszne rzeczy się tam stały... Madeleine powiedziała, że Azar jest synem Szatana i że zabił Dowkinsa...

– Boże, to teraz już wszystko jasne... – wtrącił ojciec Marino.

– Tak, to prawda. Wszystko się układa w jedną całość. Teraz wiem, dlaczego miałem takie straszne sny oraz kim była ta dziwna zjawa 25 lat temu... – odparł Gabriel.

– Jaka zjawa? I jakie sny? – spytał ojciec Marino. – I jak my teraz powstrzymamy ten cały Armagedon?

– Niech ojciec się nie martwi, coś wymyślimy. A teraz muszę wam coś powiedzieć. Tylko słuchajcie mnie uważnie... Ja nie jestem człowiekiem, tylko aniołem – oznajmił Gabriel.

– Że niby kim?! Co pan bredzi? – wtrącił profesor Bauman.

– Tato, co ty wygadujesz? – dodała Ada.

– Mówię prawdę i zaraz wam to udowodnię. Tyko... żebyście nie dostali zawału... – odpowiedział.

Po chwili, gdy on dalej mówił, jego całe ciało zaczęło świecić białym silnym światłem; wyrosły mu także skrzydła, które świeciły takim samym światłem i były przezroczyste. Gdy wszyscy to zobaczyli, oniemieli z zachwytu i całkiem ich zamurowało. Profesor Bauman nie potrafił wydusić z siebie ani słowa, a ojciec Marino szybko się przeżegnał. Adzie ciurkiem zaczęły lecieć z oczu łzy, bo była wstrząśnięta tym, co zobaczyła. Ksiądz Chose zemdlał.

– Tak! Jestem Archaniołem Gabrielem. Widzę, że jesteście w szoku i rozumiem was, lecz posłuchajcie mnie uważnie! Miałem za zadanie być aniołem opatrzności mojej obecnej żony, Anny, oczywiście jako niewidzialny anioł, ale zakochałem się w niej, bo Anna jest człowiekiem, ale ma wręcz anielskie serce. Dlatego postanowiłem, że zostanę człowiekiem i spytałem Najwyższego o zgodę. Na szczęście zgodził się, ale pod warunkiem, że stracę większą część swojej mocy i że nie będę pamiętał o tym, co robiłem w niebie oraz jak tam jest, i że umrę jak każdy człowiek. Jedyne moce, które mi pozostały, to większa siła niż posiada człowiek oraz to, że swoją aurą mogę leczyć ludzi.

– Boże, to brzmi jak jakiś film fantasy... – powiedział roztrzęsiony ojciec Marino. – Trudno jest mi w to wszystko uwierzyć, ale to, co widzę na własne oczy, świadczy o tym, że mówisz prawdę... Teraz rozumiem, dlaczego Madeleine udało się otworzyć komnaty i wywołać Apokalipsę. Jako twoja córka ma pewnie najczystsze serce na świecie i ogromną inteligencję, no i – co najważniejsze – przepowiednie o kobiecie spod znaku Anioła mają teraz sens... Tak więc, profesorze – zwrócił się do Baumana – proszę wszystko to, co nam teraz powiedział Gabriel, wpisać do programu i może znajdziemy rozwiązanie, jak powstrzymać ten cały bałagan...

– Tatusiu, ja... ja... Nie umiem tego wszystkiego sobie wytłumaczyć... Jestem w szoku – powiedziała Ada, tuląc się do Gabriela.

– Nie przejmuj się, skarbie. I nie płacz. Wszystko będzie dobrze. Kocham ciebie i Madeleine i nie pozwolę was skrzywdzić – odparł Gabriel.

– Już wiem dlaczego w czasie, gdy się z tobą spotykałem, czułem emanujące od ciebie ciepło i dobro, przyjacielu – odezwał się ojciec Tadeusz, który przez długi czas tylko się wszystkiemu przyglądał, stał na boku i się nie odzywał.

– Tak, Tadeuszu... To pewnie dlatego jesteśmy przyjaciółmi, bo twoje serce też jest szlachetne i dobre, i również dlatego mogłeś wyczuć moją aurę – odparł Gabriel. – A, jeszcze jedno: Madeleine, dzięki temu, że jest moją córką, dostała w darze moc panowania nad wiatrem i dlatego jestem o nią spokojny i wiem, że szybko do nas dołączy, chociaż ona nie wie, że jestem aniołem ani że wiem o jej mocy. Ale gdy już tu przybędzie, wszystko jej powiem...

– Dobrze. Teraz, gdy wszystko jasne, przyszedł czas, by wziąć się do roboty – stwierdził ojciec Marino.

Rozdział 24

M adeleine postanowiła jeszcze raz się skupić i całą swoją mocą zaatakować Anioła Zarazy. Ten jednak znowu ani drgnął, za to zawrzał gniewem i zaatakował ją swoją strzałą. Gdy ta leciała prosto w Madeleine, w ostatniej chwili pojawił się przed kobietą następny anioł, który jednym machnięciem ręki odrzucił strzałę. Anioł ten wyglądał przepięknie: jego oczy były tak błękitne jak błękit bezchmurnego nieba; włosy miał złociste, a rysy jego twarzy były delikatne. Do tego otaczała go poświata. Skrzydła anioła wyglądały, jakby płonęły białym ogniem.

— Nic ci nie jest, Madeleine? — spytał z troską nowo przybyły anioł. Jego głos był jak aksamit.

— Nie! Nic mi się nie stało. Dziękuję! Ale kim ty jesteś? — zapytała zadziwiona Madeleine, przypatrując mu się uważnie, bo miała uczucie, jakby go już gdzieś kiedyś widziała.

— Nie pamiętasz mnie? — spytał z przekąsem anioł.

— Mój Boże... Czy... czy to ty, Mateusz? — powiedziała uradowana Madeleine.

— Tak, to ja, moja droga przyjaciółko — odparł z uśmiechem anioł.

— Boże, to niewiarygodne... — odparła oszołomiona

Madeleine, jednocześnie mocno się do niego tuląc. – Co ty tu robisz?

– Przybyłem ci pomóc.

– Jak to? Jakim cudem pozwolono ci przybyć z zaświatów i jakim cudem zostałeś aniołem? – spytała ze łzami w oczach, lecz były to łzy radości.

– Taka była wola boska, a poza tym Bóg chciał, bym był twoim aniołem stróżem.

– Szczegóły potem ci opowiem. A teraz uciekajmy stąd.

– Dlaczego się wtrącasz, Mateo? – spytał ze złością anioł apokalipsy.

– Witaj, Zarazo! Wtrącam się, bo, jak wiesz, jesteście tu przedwcześnie. Przybyłem tu, by to wszystko naprawić, a już na pewno nie pozwolę ci skrzywdzić Madeleine – odpowiedział Mateusz.

– Rób sobie, co chcesz, ale i tak nas nie powstrzymasz, bo nikt nie ma takiej mocy. Nikt poza Stwórcą...

– Tak, wiem, ale może jest jeszcze szansa na uratowanie tego świata. Mam nadzieję, że się uda, a teraz możesz robić swoje. My już stąd odlatujemy.

Rozdział 25

I jak tam, panie profesorze? Znalazł pan coś ciekawego? – spytał Gabriel.

– Tak. Tu jest napisane, że była istota nazywana feniksem, którą stworzył Stwórca Wszechrzeczy jako pierwszą, a dopiero potem stworzył czterech bogów, którzy podzielili między sobą wszechświat. Feniks był istotą, która miała pilnować, by bogowie nie kłócili się miedzy sobą. Miał ogromną moc – większą niż każdy z bogów z osobna. Lecz bogowie nie chcieli być przez niego kontrolowani i postanowili go zgładzić. Połączyli swoją moc i go zniszczyli, lecz zostało po nim ziarno miłości, które zostało umieszczone przez Wszechstwórcę w sercu jednego z aniołów, których stworzyli sobie bogowie.

– To niewiarygodne... Przecież to, co tu jest napisane, jest całkowicie niezgodne z naszą religią – powiedziała Anna.

– Tak, skarbie. To troszkę różni się od tego, czego uczy Kościół, ale to prawda. Mój Pan nie jest Stwórcą Wszechrzeczy – odparł Gabriel.

– Ale skąd ty o tym wiesz? Przecież Bóg odebrał ci pamięć o twoim anielskim życiu... – spytała zdumiona Anna.

– Tak, ale od chwili, gdy na świecie pojawili się aniołowie apokalipsy, pamięć powoli mi wraca.

– To wspaniale, Gabrielu! Co jeszcze pamiętasz? – spytał ojciec Marino.

– Coś pamiętam, ale uprzedzam, że też to wami wstrząśnie: Jezus nie był synem mojego Boga, ale Wszechstwórcy, i teraz Jezus ma taką moc jak Feniks. Jest taka legenda, że gdy Feniks się odrodzi, to wraz z Jezusem zapanuje nad całym wszechświatem i razem zgładzą zło, które zagościło w świecie z powodu działań niektórych bogów.

– Niewiarygodna historia! Ale czy ty wiesz, w którym anielskim sercu jest to ziarno miłości? – spytał Bauman.

– Niestety nie... Nie wie tego nikt poza Wszechstwórcą i Jezusem – odparł Gabriel.

– Ale może coś tu znajdziemy... Skoro Judasz był największym przyjacielem Jezusa, to może coś w swojej Ewangelii zakodował? – powiedział ojciec Marino.

– Możliwe. Musimy szukać jakichś wskazówek. Nie możemy się poddać! – wtrąciła Ada. – Tato, kim w takim razie jest Szatan?

– On jest teraz aniołem chaosu, choć był stworzony przez naszego Pana jako jego prawa ręka. Lecz pewnego razu postanowił odejść od Boga, chcąc być sam sobie panem, a także z niewiadomych mi przyczyn postanowił szerzyć zło w całym wszechświecie, przeciągając na swoją stronę coraz to więcej aniołów, ale nie tylko aniołów naszego Boga, ale nawet pozostałej trójki. Jednak nasz Bóg podejrzewa, że za tym wszystkim stoi jeden z bogów, który również nazywa się Bogiem Chaosu, i to on zawsze pragnął szerzyć zło we wszechświecie, więc postanowił namówić

Szatana, by mu w tym pomógł, ponieważ wiedział, że sam nie może rządzić na terytorium innych bogów, ponieważ bogowie mają taką samą moc, a poza tym zawarli pakt, że nie będą się nawzajem atakować.

– A jak się nazywa pozostała trójka bogów? – spytała zaciekawiona Ada.

– Nasz Pan nazywa się Bóg Miłości, następny to Bóg Nieskończoności i Bóg Wieczności.

– To wszystko, co nam teraz powiedziałeś, wywraca do góry nogami naszą wiarę – powiedział wstrząśnięty ojciec Tadeusz.

– Tak, wiem, ale to niestety prawda – odparł Gabriel. – O! Madeleine dzwoni – powiedział i odebrał połączenie. – Hej, skarbie! Gdzie jesteś?

– Tatku, jestem już w Watykanie. Powiedz mi, gdzie jesteście, to zaraz się tam zjawimy...

– Jak to „zjawimy"? Z kim tam jesteś?

– Z Mateuszem.

– Co takiego?! Z jakim Mateuszem?

– Z bratem Ady. Wszystko ci opowiemy, gdy się zobaczymy.

– Dobrze, skarbie – odparł Gabriel, po czym wyjaśnił córce, gdzie dokładnie się znajdują.

– No i co, skarbie? Gdzie jest Madeleine? I o jakiego Mateusza jej chodziło? – spytała zdziwiona Anna.

– Nie uwierzysz, Anno. Ona mówiła, że jest z... bratem Ady – odparł Gabriel.

– Co?! Boże! Mój braciszek jest z Madeleine?! Ale... jak to możliwe? – wtrąciła oszołomiona tą wiadomością Ada.

– Tak, masz rację. To zaskakujące, ale widocznie nasz

Pan postanowił pomóc nam w walce z szatanem i wysłał nam anioła – Mateusza.

– Ale jak to anioła? Przecież on był mały... – odparła Ada.

– To nie tak, skarbie. Tam wszyscy są w jednakowym wieku. Mają na nasze ziemskie pojmowanie około 20 lat.

– Jezu... Wspaniale, że zobaczę mojego braciszka! – powiedziała uradowana Ada, płacząc jak dziecko.

– Tak, ale weź, skarbie, głęboki oddech, byś nam tu nie padła i nie dostała zawału, bo to będzie dla ciebie szok... – powiedział Gabriel, martwiąc się o Adę.

– Dobrze, tatku.

– Witajcie, moi drodzy! – przywitała się w tym momencie Madeleine, teleportując się do nich wraz z Mateuszem.

Anioł przywitał się z nimi i od razu objął Adę.

– Kochana siostrzyczko! Tak się cieszę, że znowu cię widzę... – powiedział ze łzami w oczach, mocno ją ściskając.

– Boże... nie wierzę, że to jesteś ty! To... To chyba jakiś sen... – wykrztusiła Ada, płacząc i jąkając się. – Tak bardzo za tobą tęskniłam, braciszku...

– Wiem, skarbie. Ale ja cały czas byłem przy tobie i cię chroniłem.

– Kocham cię, braciszku! – dodała jeszcze Ada, ściskając go tak mocno, że gdyby był człowiekiem, z pewnością zabrakłoby mu w tej chwili tchu.

– Już dobrze, Aduś... Nie martw się. Wszystko będzie dobrze... – odpowiedział jej Mateusz. – A teraz wymieńmy się informacjami – dodał, spoglądając na Gabriela.

Cała reszta stała jak wryta, nie wierząc w to, co widzi. Każdy zadawał sobie pytanie, jak to jest możliwe, że są z nimi anioły, i dane im jest być świadkami Apokalipsy.

– Madeleine, muszę ci jeszcze coś powiedzieć... Ja też jestem aniołem – powiedział Gabriel, jednocześnie pokazując jej swoją poświatę.

– Boże... tatku, jak to możliwe...? – zapytała Madeleine, nie mogąc w to uwierzyć.

– Przepraszam, że ci tego nie powiedziałem. Nie chciałem odbierać ci wiary w naszego Boga, bo wiara jest cnotą, a gdybyś wiedziała, to mogłoby mieć wpływ na twoje działania i na wolną wolę. Dlatego czekaliśmy z mamą na odpowiedni moment. Byłem aniołem stróżem mamy i zakochałem się w niej do szaleństwa. Poprosiłem zwierzchników, by pozwolili mi zostać człowiekiem, a gdy ci wyrazili zgodę, od razu starałem się o rękę mamy. Na szczęście zgodziła się dosyć szybko.

– To niewiarygodne, że jestem córką anioła... Ale przynajmniej teraz wiem, skąd mam taką moc – powiedziała Madeleine.

– Jak dokładnie ta moc wygląda? – spytała Ada, chcąc się dowiedzieć czegoś więcej o mocy siostry.

– Jest to moc wiatru, którą mogę władać i kształtować według swojego życzenia. Jest teraz bardzo potężna. Wypróbowałam ją nawet na aniele apokalipsy, ale wtedy akurat nie zadziałała – odpowiedziała Madeleine.

– Wiem, córeczko, że masz taką moc, bo widziałem ją, gdy Mateusz umarł. Dlatego właśnie nie martwiłem się nigdy o twoje bezpieczeństwo, bo wiedziałem, że zawsze sobie poradzisz. Tyle że ta sytuacja jest zupełnie inna... Żeby powstrzymać Apokalipsę, potrzebujemy przeogromnej mocy – powiedział Gabriel, martwiąc się o to, co będzie ze światem.

— Tato, nie martw się. Teraz, gdy jest z nami Mateusz, na pewno damy sobie radę – odpowiedziała z nadzieją w głosie Madeleine.

— Nie, moja droga. Twój tata ma rację: nie poradzimy sobie sami – odezwał się nagle ojciec Marino. – Musimy znaleźć anioła, w którym ukryte jest ziarno miłości Feniksa – wyjaśnił.

— Jakie ziarno? – spytała Madeleine.

— Feniks był... – zaczął duchowny, a potem szczegółowo opowiedział kobiecie całą historię.

Gdy już wszystko zostało powiedziane, profesor Bauman nagle krzyknął.

— Podejdziecie tu na chwilę! Zobaczcie, co pokazuje telewizja!

— Jezu! To niewiarygodne... – powiedział ojciec Marino, zaś reszta, patrząc na relację dziennikarki telewizyjnej, wprost osłupiała z wrażenia.

Drodzy państwo!

To, co teraz widzicie, to najprawdopodobniej zaginiona Atlantyda. Niedawno stąd również pomknął jeden z jeźdźców apokalipsy, lecz, jak państwo widzą, z tej samej piramidy, z której powstał anioł, wydobywa się jakaś ogromna i zła energia... Wygląda to tak, jakby coś miało się jeszcze z tej energii narodzić i, jak mniemam, nie będzie to nic dobrego, ponieważ jest odczuwalne w tym coś potwornie złego. Zapewne niedługo się dowiemy, co to będzie. Jeśli do tej pory nic nam się nie stanie, będziemy państwu to relacjonować, a teraz łączymy się z naszymi kolegami, którzy pokażą państwu, jakich zniszczeń dokonali już jeźdźcy apokalipsy. Widok tego, co już zrobił Anioł Zarazy, jest przerażający: ludzie zaczęli chorować na najgorsze śmiertelne choroby, które postępują w mgnieniu oka. Ludzie uciekali i krzyczeli, rozkładając się bardzo szybko... a ich widok i zapach był okropny, a do tego nie umierają, przez co wyglądają jak zombie. Następny, Anioł Głodu, który pojawił się w Meksyku, sprawił, że jedzenie zaczęło się zamieniać w kamienie i gnić tak szybko, że nikt nie zdążył go nawet ugryźć, a ludziom coraz bardziej chciało się jeść, co wywoływało agresję i bijatyki, a także krzyki i lament. Trzeci, Anioł Wojny, który pojawił się w Egipcie, spowodował, że ludzie zaczęli się atakować wszystkim, co mieli pod ręką. Wojsko zaczęło strzelać do każdego; świadkowie mówią, że wyglądało to tak, jakby ludzie zamienili się we wściekłe psy – krew tryskała wszędzie, a widok był przerażający! Czwarty anioł, który pojawił się na Antarktydzie, zaczął spuszczać deszcz meteorytów na południowe części Ameryki, Afryki i na Australię, a także rzucał kulami ognia. Wszystkie miasta stanęły w płomieniach; ludzie uciekali w popłochu, dusząc się po chwili z powodu dymu i czadu, a także paląc się żywcem, również nie mogąc nawet umrzeć. Ale najgorsze jest to, że osoby, którym nic się nie działo, patrzyły na to wszystko, nie mogąc nic zrobić... Ich ból i strach był zupełnie porażający...

– Boże, wybacz mi, że do tego doprowadziłam! To jest okropne, tatusiu... Jak my to teraz powstrzymamy? Dlaczego byłam tak głupia...? – mówiła Madeleine, płacząc i tuląc się do Gabriela.

— Skarbie, to nie twoja wina. Nie martw się, jakoś to powstrzymamy — pocieszał ją Gabriel.

Cała reszta stała jak osłupiała, patrząc na dokonane zniszczenia i cierpienia ludzi.

— Tak, to jest okropny widok... — powiedział Gabriel. — Musimy to powstrzymać, więc trzeba się natychmiast teleportować, by możliwie najbardziej opóźnić przyjście Bestii — powiedział.

— Masz rację, tatku. Wy lepiej zostańcie tutaj i poszukajcie w ewangeliach, kto może mieć ziarno miłości — rzekła Madeleine. — Ja i Mateusz teleportujemy się na Antarktydę i spróbujemy powstrzymać Bestię...

Rozdział 26

Ojcze, wzywam cię! Twoje panowanie jest już prawie faktem! – krzyczał Azar i czekał, aż szatan się zmaterializuje i zapanuje wreszcie nad ziemią.

Energia, jaka wychodziła z brylantowej piramidy stworzonej na pałacowym dziedzińcu królestwa Atlantów, wychodziła również z innej piramidy, która także rozstąpiła się jak płatki kwiatów i której wielkość też była imponująca: mierzyła 100 metrów wysokości, a obwód podstawy liczył 200 metrów. Wydobywająca się energia była koloru białego, a nie – jak można by sądzić – czarnego, lecz jej moc była przeogromna. Fale energii czuć było nawet w południowej części Afryki i Ameryki.

– Chyba już się spóźniliśmy, Mateuszu... – powiedziała Madeleine, widząc, że energia Szatana już prawie się zmaterializowała. – Ale spójrz na to miasto! To coś wspaniałego i niewiarygodnego, że taka cywilizacja istniała na naszej planecie. I to naprawdę niezwykłe, że mimo całej swojej wspaniałości wyginęła – dodała.

– Nie, Madeleine... Oni nie wyginęli – odparł Mateusz.

– Jak to? Więc gdzie teraz są? – spytała zaskoczona.

– Ups! Wybacz. Nie powinienem ci tego mówić. To są tajemnice, których nie możesz znać. Zajmijmy się lepiej Szatanem. Spójrz tam, na prawo, ktoś stoi przed piramidą – odpowiedział szybko Mateo, odwracając jej uwagę.

– To jest chyba Azar, nasz Antychryst... Musimy tam podlecieć – powiedziała Madeleine i natychmiast ruszyła w stronę Azara. – Ty potworze! Oszuście! Nie wybaczę ci tego! – krzyknęła, ciskając w niego moc huraganu.

– Witaj, droga Madeleine – odparł z szyderczym uśmiechem Azar, jednocześnie odpierając jej atak jedną ręką.

– Zaraz cię unicestwię i to bez wahania, bo jesteś czystym złem! – powiedziała z nienawiścią w głosie Madeleine.

– Witaj ponownie, Mateo – powiedział Azar.

– Jak to ponownie? – spytał ten ze zdziwieniem.

– Byłem w lesie w chwili twojej śmierci – odparł Azar.

– Nie interesuje mnie to! I tak zaraz zginiesz – odpowiedział Mateusz.

– Ha, ha, ha! Zaraz się przekonamy, kto zginie – zaśmiał się Azar, rzucając w Madeleine strumieniem energii.

– Uważaj, Madeleine! – krzyknął Mateusz, ochraniając ją całym sobą.

– Ty potworze! Nie pokonasz mnie taką słabą energią! – krzyknęła Madeleine i skupiła całą swoją moc, rzucając w Azara potęgą wiatru tak mocną, że jej rywal aż wbił się w budynek, w kierunku którego go odrzuciło.

– Hura! – krzyknęła radośnie Madeleine. – Nie jest wcale taki silny – dodała.

– Nie ciesz się tak szybko, skarbie, bo to nie on jest problemem, a szatan, który za chwilę się tu zjawi... Jego tak łatwo nie powstrzymamy... – odparł Mateusz.

– Nie martw się. Gdy użyjemy całej naszej mocy, która

będzie pochodzić prosto z naszych serc, to damy radę – powiedziała z nadzieją Madeleine.

– To i tak nic nie da. Módl się, by profesor odkrył, jaki anioł ma w sobie ziarno Feniksa. Bez tego wszyscy będziemy cierpieć przez 666 lat...

– Lepiej tyle nie gadajmy! Skup się i spróbujmy rzucić siłą całej naszej mocy w Szatana, póki jeszcze się nie zmaterializował! – odparła Madeleine.

Po chwili cisnęli całą swoją potęgą w stronę szatana, lecz nic to nie dało. Ich energia tylko się rozproszyła.

– Boże... Miałeś rację, Mateusz... Co teraz zrobimy? – powiedziała przerażona Madeleine.

W tej samej chwili zadzwonił jej telefon.

– Tak, słucham?

– Aniołku, daj mi do telefonu Mateusza – odezwał się Gabriel.

– Dobrze, tatku – odparła. – Mateusz, trzymaj. Mój tata chce coś od ciebie – powiedziała, podając mu telefon.

– Tak, słucham cię, Gabrielu.

– Proszę, teleportuj się natychmiast do nas! Już wiemy, kto posiada ziarno Feniksa – odparł Gabriel. – Jeszcze jedno: Madeleine niech poczeka na ciebie na miejscu.

– Świetnie! Za chwilę tam będę – zakończył. – Madeleine, zostań tu i miej wszystko na oku. Ja zaraz wracam. Twój ojciec już wie, kto ma ziarno Feniksa...

– Dobrze. Teleportuj się szybko i nie martw się o mnie. Dam sobie radę – odparła odważnie.

Chwilę później Mateusz zniknął.

Rozdział 27

Doskonale, że już jesteś – rzekł Gabriel na widok Mateusza. – Słuchaj uważnie. Profesor odszyfrował wers, w którym jest napisane, że posiadaczem ziarna jest anioł, który zostanie zesłany na ziemię z powodu miłości do ziemskiej kobiety. Jednak moc tego ziarna zadziała tylko wtedy, gdy intencje posiadacza będą czyste i słuszne, a osoba, która będzie chciała je wykorzystać, musi mieć dobre serce. Lecz jest jeszcze jeden warunek: by można było go użyć, posiadacz tego ziarna musi umrzeć – powiedział Gabriel.

– Boże... To znaczy, że... To niewiarygodne, że... że to właśnie ty masz w sobie to ziarno! Ale co teraz będzie? Przecież Madeleine nie pozwoli ci zginąć. Ona nigdy się z tym nie pogodzi... Co my teraz zrobimy? – odparł zaniepokojony Mateusz.

– Tak... Właśnie w tym problem. Mam do ciebie prośbę: nie mów Madeleine o tym, że to ja mam w sobie ziarno. Powiesz jej dopiero, gdy zginę...

– Ale jak to zginiesz? Chcesz popełnić samobójstwo? – spytał przerażony Mateusz.

– Nie, nie zrobię tego. Będę walczył z Szatanem i dopiero kiedy on mnie zabije, powiesz Madeleine, że ja mam to ziarno. Zresztą i tak nie wiemy, w jaki sposób ono się ujawni, więc będziesz musiał jej o tym powiedzieć, by ona mogła jakoś je ze mnie wydobyć. Dlatego nie pozwól, by ktokolwiek inny niż Madeleine był przy moim ciele!

– Dobrze, ale Madeleine będzie strasznie cierpieć... Będzie mi trudno na to wszystko patrzeć, ale... nie martw się jeszcze. Może akurat poradzimy sobie bez tego ziarna i nie będziesz musiał umierać... – odparł Mateo.

– Tak, wiem, że to będzie trudne i też tli się jeszcze we mnie nadzieja, że damy sobie radę bez ziarna – rzekł Gabriel. – W porządku. Zatem omówmy dokładną strategię i wracajmy do Madeleine – dodał.

Rozdział 28

Madeleine przez cały czas próbowała rzucać mocą w Szatana, ale nic to nie dawało. Powoli traciła już siły i akurat wtedy Szatan pojawił się cały zmaterializowany. Jego wygląd był zaskakujący: rysy twarzy były tak piękne, że w piersiach zapierało dech. Widać było, że był to najdoskonalszy twór Boga, a jego poświata była tak biała jak jego szata, ale czuć było od niego ogromne zło. Madeleine była zdumiona i zdezorientowana tą harmonią przeciwieństw.

– Widzę, że jesteś zszokowana. Pewnie spodziewałaś się potwora z rogami i okropną twarzą – oznajmił z szyderczym uśmiechem Szatan. – Ha, ha! Ale jak już pewnie wiesz, Bóg stworzył mnie jako swoją prawą rękę i dlatego jestem tak doskonały...

– Nie mogę w to wszystko uwierzyć... Jak to możliwe, że tak wyglądasz i że jednocześnie jesteś taki zły. Poza tym, skąd w tobie zło, skoro stworzył cię Bóg, który jest pełnią miłości? Powiedz mi, dlaczego i w imię czego stałeś się takim potworem? – spytała Madeleine.

– Nie jestem potworem! Postanowiłem sam dla siebie być panem, bo znudziła mnie ta jego miłość i to jego dobro – parsknął Szatan. – Wolałem się dobrze bawić niż mu służyć. Zresztą, co to za miłość, skoro byliśmy jego sługami, a także sługami ludzi i innych inteligentnych istot we wszechświecie? Nawet nie wiesz, jakie to było wspaniałe: patrzeć, jak istoty inteligentne, które powinny mieć w sercu dobro, stają się złe i okrutne! To takie zabawne... Ale jak wiesz, dzięki mojej działalności niektóre osoby zmieniały się też w szlachetne i bohaterskie, bo zło i dobro są nierozłączne, i gdyby nie istniało jedno z nich, nikt nie mógłby powiedzieć, że jest wolny. Tylko znając dobro i zło, wy, ludzie, możecie powiedzieć, że macie wolny wybór. Więc sama widzisz, że powinnaś mi raczej podziękować... – zakończył z szyderczym uśmiechem.

– Co ty wygadujesz?! Istnienie wyłącznie dobra nie wyklucza wolności! Zresztą nie ma co teraz filozofować. Zginiesz, bo cię unicestwię, a zło zniknie raz na zawsze – odparła z pogardą Madeleine.

– Ha, ha, ha! Nie rozśmieszaj mnie! Nie masz takiej mocy, by mnie powstrzymać. Nawet sam Bóg ci nie pomoże, bo on nie jest w stanie nic mi zrobić! A wszystko przez te jego zasady, przez które teraz będziecie cierpieć... – odparł Szatan, śmiejąc się wniebogłosy.

– Zaraz zobaczymy, kto będzie się śmiać! – odpowiedziała Madeleine i rzuciła weń całą mocą największego huraganu, jakiego nigdy nie było na ziemi, lecz Szatan odparł go jedną ręką.

– Żałosna kobietko! Taką mocą możesz mnie co najwyżej połaskotać. Poczuj więc moją moc... – odparł szatan, rzucając w nią swoją energią, która odrzuciła Madeleine na setki metrów w dal i wbiła ją w górę lodową.

Rozdział 29

No dobrze, chodźmy już, Gabrielu, bo pewnie Madeleine już walczy z Szatanem! – powiedział Mateusz, gdy wszystko zostało ustalone.

– Zaraz. Jeszcze tylko pożegnam się z żoną... – odpowiedział Gabriel i zwrócił się w stronę Anny. – Skarbie... Pamiętaj, że cię kocham i zrobię wszystko, co w mojej mocy, by uratować świat. Jeśli umrę, pamiętaj, że będę na ciebie czekał u boku mego Pana... – dodał.

– Nie gadaj głupstw, kotku! Proszę cię: zrób wszystko, byś nie musiał zginąć, bo ja nie chcę bez ciebie żyć... Kocham cię... – odparła ze łzami w oczach Anna, bo czuła, że widzi swojego męża po raz ostatni. Na koniec jeszcze mocno go przytuliła i pocałowała.

– No dobrze. Lecimy już. Zachowajcie wiarę w to, że nam się uda – powiedział Mateusz do wszystkich, po czym obaj zniknęli.

Rozdział 30

Boże... On ma naprawdę ogromną moc! Jak my go powstrzymamy? – myślała Madeleine, podnosząc się z trudem z góry śniegu.

– No i jak, Madeleine? Nadal wierzysz w to, że zdołacie mnie powstrzymać? – spytał, śmiejąc się szyderczo, Szatan.

– Tak! Wierzę i zaraz się o tym przekonasz – odparła Madeleine, ponownie próbując zebrać wszystkie swoje siły, by zaatakować przeciwnika.

– Już jesteśmy, Madeleine! Poczekaj! Zaraz zaatakujemy go razem – krzyknęli jeden przez drugiego Mateusz i Gabriel, którzy nagle pojawili się obok niej.

– Witaj, tatusiu! Jak to dobrze, że już jesteście! – krzyknęła Madeleine z radością. – Teraz cię pokonamy, kanalio! – dodała z nadzieją Madeleine.

– Witaj, drogi Gabrielu, mój bracie... – rzekł Szatan. – Aleś nisko upadł... Żeby stać się człowiekiem dla tych marnych istot? – dodał.

– Nie nazywaj mnie bratem! Jesteś niewdzięcznikiem i cynikiem. Jak mogłeś odwrócić się od Boga i namówić do tego samego tylu aniołów? On tak cię kochał... Byłeś jego pierwszym synem, któremu dał ogromną moc i którego obdarzył bezgraniczną miłością... – odparł z pogardą Gabriel.

– To ty jesteś głupi, że nie przyłączyłeś się do nas! Stałbyś teraz u mego boku i rządzilibyśmy całym światem – odpowiedział Szatan. – Ale ty wolałeś zająć moje miejsce i być prawą ręką Boga – dodał.

– Ty jednak jesteś już zepsuty do końca! Kocham swojego Stwórcę i nigdy nie zrobiłbym mu tego co ty! Nie zależało mi na władzy i mocy, jak tobie. Zresztą, jak widzisz, zakochałem się w Ziemiance i postanowiłem zostać człowiekiem, bo nigdy nie zależało mi na władzy – odparł Gabriel.

– Tatusiu, o czym on mówi? Byłeś aż tak potężnym aniołem i poświęciłeś wszystko dla mamy? – spytała ze zdziwieniem Madeleine.

– Tak, skarbie. Pokochałem twoją matkę tak mocno, że postanowiłem zrezygnować z całej tej władzy, ale nie zrezygnowałem z miłości Boga, bo go kocham, a on kocha mnie i nas wszystkich. Nawet ciebie, potworze... – powiedział Gabriel.

– Dosyć tych pogaduszek! Zaraz was wszystkich zniszczę, by mój ojciec mógł spokojnie rządzić Ziemią – wtrącił się Azar, który zdążył się właśnie pozbierać po uderzeniu Madeleine.

– Witaj, synu! Zajmij się nimi, bo jeszcze nie jestem w pełni gotów... Przekażę ci część mojej mocy – powiedział Szatan, przelewając na Azara odrobinę swojej energii.

– Tak więc zaczynajmy bitwę, bestio – odparła Madeleine, kumulując w sobie całą energię tornada. – Tato i ty, Mateuszu – zaatakujmy go razem! – zaproponowała.

– Dobrze, córeczko. Zaczynajmy! – odparł Gabriel, po czym skupił całą swoją moc w dłoni, która wyglądała teraz jak strzała.

To samo zrobił Mateusz. Następnie wszyscy razem cisnęli strumienie energii w stronę Azara, lecz ten nawet nie drgnął i zaczął się śmiać.

– Ha, ha! Czymś takim chcecie pokonać mnie i mojego ojca?

– Jeszcze się tak nie ciesz... Zaraz was unicestwimy! – rzucił Mateusz. – Madeleine, skup się, proszę, i spójrz w głąb swego serca! Wierzę w to, że dasz radę wykrzesać z siebie ogromną moc... – rzekł Mateusz, dodając jej otuchy.

– Dobrze, przyjacielu, spróbuję... – odpowiedziała Madeleine, skupiając się, a potem krzyknęła: – Wzywam moc wszystkich huraganów świata!

Po chwili nad ich głowami pojawiły się najczarniejsze chmury, jakie kiedykolwiek widziano na Ziemi, oraz zerwał się potężny wiatr. Cała moc z tych chmur została skierowana na Azara, pioruny skumulowały się w jedną ogromną strzałę, która wraz z tornadem trafiła prosto w Azara i wbiła go głęboko w śnieg.

– Świetnie, Madeleine! Udało ci się! – krzyknął radośnie Mateusz. – Pokonałaś go!

Potwierdzeniem tego, że Azar został zabity, była wychodząca z ciała dusza, która wyglądała jak czarny obłok, z którego wydobywały się okropne krzyki. Na chwilę pojawiła się ona przed ich oczyma, a potem trafiła do ręki Szatana, który straszliwie rozsierdzony krzyknął.

– Nie daruję wam tego! To już nie jest zabawa. Jestem wreszcie wolny i zaraz was zniszczę!

Po chwili znowu zerwał się równie silny wiatr jak poprzednio, lecz tym razem była to w czystej postaci moc pochodząca od Szatana, a jej kolor zaczął zamieniać się w czarny. Następnie zmieniło się również oblicze szatana: jego twarz stała się przerażająca, a on sam zaczął się powiększać do rozmiarów dziesięciopiętrowego wieżowca. Ten widok był straszliwszy niż wszystkie razem wzięte obrazy z najgorszych horrorów. Madeleine, Mateusz i Gabriel stali jak zamurowani, nie mogąc uwierzyć w to, że Szatan zmienił się w tak przerażającą bestię.

– I co wy na to? To jest moje prawdziwe oblicze! – powiedział Szatan głosem tak potężnym i przerażającym, że Madeleine dostała gęsiej skórki, a serce waliło jej jak młotem.

– Jak ty mogłeś się tak zmienić? – spytał przerażony i zasmucony Gabriel.

– Wiedziałem, że zrobi to na was wrażenie! Ta moc pochodzi od ludzi, którzy są okrutni! Jednak dosyć już tych pogaduszek! Jako pierwsza zginiesz ty, Madeleine, zbyt dużo mi napsułaś nerwów – zakomunikował Szatan, skupiając swoją moc i rzucając ogromnym obłokiem prosto w Madeleine.

– Nie...! – krzyknął Gabriel, po czym w mgnieniu oka zasłonił córkę swoim ciałem, a za moment z łoskotem runął na ziemię.

– Tatusiu! Dlaczego to zrobiłeś? – pytała zapłakana Madeleine, trzymając ojca w ramionach.

– Aniołku, słuchaj mnie uważnie – odezwał się Gabriel. – Nie martw się o mnie. Wracam z powrotem do mego Ojca... Kiedyś się spotkamy, ale teraz najważniejszy jest ten świat... Masz go ochronić przed zagładą! Przekazuję ci ziarno Feniksa, które jest ukryte w moim sercu. Abyś mogła je stamtąd wydostać, wpierw muszę umrzeć... Skup się teraz, bo aby je wyjąć z mego serca, musisz wyrazić prośbę, która winna być czysta i szlachetna.

– Tato, ale co ty mówisz? Ja nie chcę, byś umierał... Kocham cię! – odparła drżącym głosem.

– Wiem, skarbie, ja też cię kocham! Przekaż mamie i Adzie, że je też bardzo kocham. Będę nad wami czuwał... A teraz skup się i całą dłonią złap za moje serce – umierający anioł wiedział już, w jaki sposób może przekazać ziarno. – Nie bój się. Twoja dłoń przeniknie przez moje ciało i złapiesz tylko ziarno Feniksa. Żegnaj, córeczko – powiedział ostatkiem sił Gabriel.

– Dobrze, tatku... Nie zawiodę cię – odparła Madeleine.

Na jej twarzy mieszały się ogromny smutek i ogromna wściekłość.

– Dosyć tych pożegnań! Zaraz i tak zginiesz, kobieto! – rzucił Szatan.

– Zaraz zobaczymy, kto zginie! – odparła pewnie Madeleine, po czym zaczęła powoli sięgać ręką w głąb serca Gabriela, nie dowierzając, że to wszystko dzieje się naprawdę. Gdy już wyciągnęła dłoń z serca ojca i otworzyła ją, zobaczyła coś, co zaparło jej dech w piersiach. Wyglądało to jak płonący brylant. Jego ogień był biały i oślepiający, lecz czuło się odeń taką moc, której nikt nie był sobie w stanie wyobrazić. Po chwili ziarno samo wleciało w serce Madeleine, a gdy to nastąpiło, ciało kobiety uniosło się bardzo wysoko i zaczęła wydobywać się z niej energia o białym i jasnożółtym kolorze. Tryskała ona na tak wielką odległość, że dotarła nawet do Szatana, parząc go.

— Co to ma być, Madeleine? Co się z tobą dzieje? – spytał zaniepokojony Szatan.

— A co? Zaczynasz się bać, potworze? – spytał z ironią Mateusz.

— Ja się niczego nie boję, bo nic mnie już nie powstrzyma – odparł Szatan. „Nie rozumiem jednak, co to za moc..." – pomyślał.

— Ach, tak? Zaraz się przekonasz, co to znaczy moc Feniksa – odparł dumnie Mateusz.

— Coś ty powiedział? Feniks? To... To niemożliwe! On przecież został pokonany przez czterech bogów – odparł przestraszony Szatan. Wiedział bowiem, że z tą mocą nie będzie miał szans.

Po chwili z energii, która wydobywała się z Madeleine, utworzył się Feniks i tylko przez moment wyglądał on jak ptak z legend i bajek. Po chwili jego oblicze stało się zupełnie inne: przeobraził się w pięknego anioła, a jego twarz była tak cudowna, że żaden anioł aż tak wspaniale nie wyglądał. Jego postać tworzyły bladożółte płomienie. Przybrał przy tym tak ogromne rozmiary, jak wcześniej szatan, a jego skrzydła mieniły się wszystkimi kolorami tęczy. Był to po prostu cudowny widok.

— Boże... Jakiś ty cudowny, Feniksie – powiedział doń Mateusz.

– Dziękuję! Po kilku miliardach lat wreszcie się przebudziłem – odparł Feniks.

– Ale jak to możliwe, że w ogóle istniejesz? Przecież cię zabili... – powiedział zaniepokojony Szatan.

– Tak, zabito mnie, lecz Wszechstwórca postanowił, że moje ziarno miłości przetrwa w sercach aniołów. Co parę milionów lat ziarno przeskakiwało do innego anioła po to, by nikt nie wiedział, gdzie ono jest. Tylko Wszechstwórca o tym wiedział – odpowiedział Feniks. Jego głos brzmiał tak delikatnie, jak trzepot skrzydeł motyla, a zarazem tak potężnie, jakby rozbrzmiały wszystkie dzwony świata.

– Więc jakim cudem Gabriel dowiedział się, że ma twoje ziarno w swoim ciele? – spytał Szatan.

– A takim, że Jezus był synem Wszechstwórcy, nie Boga. On to wiedział, gdzie spoczywa obecnie moje ziarno i postanowił zakodować tę wiadomość w Ewangelii Judasza, ponieważ wiedział również o twoim przymierzu z Atlantami i nie chciał dopuścić do tego, by cierpieli niewinni ludzie – odparł Feniks.

– Aha! Cwaniak z tego Jezusa... Ale i tak mnie nie pokonasz! – wrzasnął Szatan, ale chyba tylko po to, by dodać sobie otuchy. Znał bowiem doskonale potęgę mocy Feniksa.

– Za chwilę się przekonasz, jaką mam moc – odezwał się Feniks. – Ale najpierw muszę cię spytać, czy sam się nie poddasz i nie wycofasz, bo ja nie jestem złą istotą, więc nie mogę cię niszczyć, jeśli wyrazisz skruchę.

– Nie rozśmieszaj mnie! Ja się nigdy nie poddam, a na dowód tego poczuj moją moc! – odparł Szatan, kumulując energię i ciskając nią w Feniksa.

Ten jednak nawet nie drgnął.

Tylko na tyle cię stać, potworze? Widzę, że nie chcesz ustąpić... Poczuj zatem moją moc – rzekł Feniks.

Po chwili skrzydła Feniksa wydłużyły się i powiększyły tak bardzo, że objęły sobą Szatana, który nie mogąc się uwolnić, zaczął wrzeszczeć i wzywać moce swoich sprzymierzeńców. W końcu otrzymał od nich potęgę, która pozwoliła mu uwolnić się ze szponów Feniksa.

– No i widzisz, wszechmocny Feniksie? Mówię ci, że mnie nie pokonasz! – ryknął Szatan i od razu zaatakował rywala.

Przez kilka minut trwała potworna walka. Była to wymiana ciosów o potężnej energii. Wyglądało to niewiarygodnie, a energię przeciwników było czuć nawet na innych kontynentach.

– To koniec, Szatanie! Dałem ci szansę, byś się opamiętał, ale widzę, że nie masz zamiaru się poddać... Tak więc giń! – odparł Feniks i zadał przeciwnikowi potężny cios.

Gdy Szatan leżał na górze śniegu, Feniks wypowiedział ostateczne słowa.

– Mocą wszechświata i ziemskiej gwiazdy zwanej Słońcem unicestwiam cię, istoto zwana Szatanem – zawołał donośnym głosem.

Po tych słowach ponownie objął Szatana skrzydłami, a po sekundzie prosto ze słońca wyszedł porażający słup energii. Była to energia jądra gwiazdy; wyglądała imponująco, ale i przerażająco, a gdy szatan wypalał się w objęciach Feniksa, rozległ się jego potworny krzyk. Jego dźwięk było słychać we wszystkich miejscach na Ziemi. Wszyscy ludzie, którzy jeszcze żyli, przez sekundę aż stanęli z przerażenia, zastanawiając się, jaka istota jest zdolna wydawać taki krzyk.

„Boże... jaką on ma potężną moc..." – pomyślał Mateusz, stojąc na czubku lodowca oddalonego o parę kilometrów od miejsca walki.

– Tak jest, Mateo! Mam ogromną moc. Przewyższa ona nawet moc każdego z czterech bogów. Jestem istotą, która – z wyjątkiem Wszechtwórcy – ma największą moc we wszechświecie. Bogowie bali się tej mocy i postanowili mnie unicestwić.

– Ale jakim cudem słyszysz moje myśli? – spytał zdziwiony Mateusz, patrząc, jak z Szatana nie zostaje już nawet pyłek.

– Mój drogi Mateo... Ja słyszę myśli każdej istoty we wszechświecie, włącznie z aniołami i bogami, bo byłem pierwszą istotą stworzoną przez Wszechstwórcę. Moim zadaniem było strzec równowagi między dobrem i złem.

– Ale dlaczego Wszechstwórca stworzył zło? – spytał Mateusz, chcąc poznać odpowiedź na to odwieczne pytanie.

– Stworzył po to, by wszystkie istoty rozumne miały wolną wolę, ponieważ znając tylko dobro lub tylko zło, istoty rozumne nie mogłyby mówić, że są wolne, bo wolnym się jest wtedy i tylko wtedy, kiedy zna się drugą stronę medalu i ma się możliwości wybierania pomiędzy jakimiś alternatywnymi rzeczami. Lecz Wszechstwórca nie jest ani zły, ani dobry. On po prostu jest stwórcą wszechrzeczy. Stworzył bogów dobrych i złych, a ja zostałem jego prawą ręką.

– No tak, ale powiedziałeś przecież, że Jezus też został stworzony przez Wszechstwórcę... Więc teraz to on jest jego prawą ręką, tak?

– Tak. On stworzył Jezusa, bo zło zaczęło być zbyt potężne, a mnie zabrakło. Stworzył więc mego następcę, by przywrócić należytą równowagę w świecie.

– No, ale przecież ty istniejesz?

– Nie, mój drogi... Ja zaraz zniknę. Jestem tu tylko dlatego, że Madeleine bardzo pragnęła powstrzymać Szatana, więc odrodziłem się na chwilę, by jej pomóc. Tak naprawdę utrzymuję się przy życiu dzięki czystej i dobrej energii Madeleine. Moja prawdziwa moc już nie istnieje, ponieważ ja też już nie istnieję. Tylko moja dusza, która była w tym ziarenku i za sprawą której mogłem wykorzystać moc słońca oraz każdego innego ciała niebieskiego, pozwoliła mi powstrzymać Szatana. Kiedy istniałem, moja moc była tak wielka, jak energia wszechświata. Posiadałem ją w całym sobie, więc gdybym ją miał nadal, pokonałbym szatana jednym palcem.

– Feniksie, pokonałeś Szatana, ale przecież są jeszcze jeźdźcy apokalipsy. Jak ich powstrzymamy? I jak odbudujemy to, co zostało zniszczone? – spytał zasmucony Mateusz.

– Nie martw się. Zaraz się tym zajmę.

– Ale jak? – spytał tamten.

– Nie zrobię im krzywdy, tylko cofnę wszystko to, co zrobili, i odeślę ich z powrotem.

– Ale czy to znaczy, że cofniesz czas?

– Nie, to nie jest to samo. Ja tylko cofnę wszystko to, co oni zrobili. Oczywiście wszyscy, którzy zginęli, odżyją, ale czasu nie cofnę, bo tego może dokonać tylko Wszechstwórca. Nawet bogowie nie mają takiej mocy, ponieważ aby cofnąć czas, potrzeba potęgi tak wielkiej, że nie jesteśmy w stanie sobie nawet tego wyobrazić. Przy cofaniu czasu trzeba każdą cząstkę materii cofnąć dokładnie na to samo miejsce, na którym znajdowała się wcześniej, a tyczy się to cząstek całego wszechświata.

– Aha, rozumiem. Ale czy to znaczy, że ojciec Madeleine też wróci do życia?

– Nie. On niestety nie! By tego dokonać, musielibyśmy cofnąć czas, a w tym przypadku, jak powiedziałem, nie jest to możliwe.

– Rozumiem.

– Dobrze więc. Teleportujmy się do jeźdźców! – rzekł Feniks i po chwili zjawili się przy Aniele Śmierci.

– Witaj, aniele apokalipsy – powiedział dostojnie Feniks.

– Co ty tu robisz, Feniksie? – spytał zszokowany anioł i nawet się przed nim ukłonił. Wiedział bowiem, z kim ma do czynienia.

– A skąd ty wiesz, że to Feniks? – spytał zdziwiony Mateusz.

– Jesteśmy czymś więcej niż tylko aniołami – odparł tamten. – Powstaliśmy w momencie utworzenia wszechświata, czyli w tym samym czasie co bogowie, i zostaliśmy stworzeni tylko po to, by przybyć na końcu świata. A że w tym przypadku jest on przedwczesny, to już nie nasza wina – odparł.

– Masz rację. Za chwilę wrócicie na swoje miejsce i już nigdy nie wrócicie tu na Ziemię, ponieważ jej koniec to już zupełnie inna historia – rzekł Feniks.

– Ale wydaje mi się, Feniksie, że nawet ty nie jesteś w stanie nas powstrzymać – odezwał się anioł.

– I tu się mylisz! A teraz żegnajcie, ty i pozostali jeźdźcy – odparł Feniks.

To powiedziawszy, machnął ręką. Anioł Śmierci zaczął się cofać, a z nim wszystkie szkody, które popełnił. Po chwili to samo Feniks zrobił z pozostałymi jeźdźcami Apokalipsy. Gdy wszystko wróciło do poprzedniego stanu, Feniks i Mateusz wrócili na Antarktydę. Tam Feniks pożegnał się ze swym towarzyszem.

– A teraz muszę już zakończyć swoją misję – oznajmił.

– A co będzie z Madeleine, gdy wyjdziesz z jej ciała?– spytał Mateusz.

– O nic się nie martw! Ona zaraz powróci i w dodatku będzie wszystko pamiętać, ponieważ nasze umysły były cały czas ze sobą w kontakcie.

– A co będzie z tobą?

– To wie tylko Wszechstwórca, lecz zapewne znów trafię do serca jakiegoś anioła...

– Rozumiem. Dziękuję ci za wszystko, Feniksie – powiedział rozpromieniony Mateusz.

– Nie ma za co, mój drogi Mateo. Żegnaj! – powiedział Fenik, a po chwili cała jego energia wyszła z Madeleine i zamieniła się w ziarenko, które w jednej chwili zniknęło.

Madeleine zaś, gdy tylko zobaczyła Mateusza, od razu rzuciła mu się na szyję.

– Dziękuję ci, kochany – szepnęła Mateuszowi do ucha, jednocześnie całując go w policzek.

– Nie ma za co, moja droga. Niestety za chwilę będę musiał wracać... – odparł zasmucony.

– Tak, wiem, i strasznie mnie to boli, bo muszę ci coś powiedzieć.

– Co?

– Kocham cię!

– Tak, wiem, bo to czuję. Ja ciebie też kocham, szkoda tylko, że nie możemy być razem – odparł.

– Szkoda... Ale kiedyś będziemy. Tylko czekaj tam na mnie... – odpowiedziała Madeleine, mając łzy w oczach, bo wiedziała, że ponownie zobaczy Mateusza dopiero po śmierci.

Gdy tak się tulili, pojawiło się jasne światło, które zaczęło przybierać kształt Gabriela.

– To tatuś! – krzyknęła uradowana Madeleine.

– Witaj, aniołku! – odezwał się Gabriel.

– Ale... Co ty tu robisz, Gabrielu? – spytał Mateusz.

– Przybyłem, by wam powiedzieć coś wspaniałego! Po pierwsze: znowu jestem prawą ręką Boga i opiekunem wszystkich aniołów. Właśnie dlatego posiadam taką moc, by... z ciebie, Mateuszu, ponownie zrobić człowieka.

– Co?! Coś ty powiedział? – krzyknął Mateusz.

– Tak, mój drogi: dostaniesz nowe życie. Oczywiście, jeśli tego chcesz...

– Pewnie, że chcę! Dziękuję ci, Boże, za tę drugą szansę! – wykrzyknął Mateusz.

– W takim razie słuchaj: gdy zniknę, staniesz się człowiekiem oraz stracisz moc i pamięć związaną z tym, co jest po tamtej stronie, lecz będziesz pamiętał, że byłeś aniołem i będziesz pamiętał wszystkie wydarzenia związane z Apokalipsą. No i to, że kochasz Madeleine. Cieszę się, że moja córka będzie miała tak wspaniałego męża... – dodał Gabriel.

— Tatusiu, dziękuję ci za wszystko! Będzie mi cię brakować, ale wiem, że cały czas będziesz przy mnie. Będę bardzo szczęśliwa z Mateuszem. Podziękuj za to ode mnie Bogu — powiedziała Madeleine.

— Dobrze, córeczko. Uważajcie na siebie. Przeniosę was teraz do Rzymu, do mamy, bo też muszę się z nią pożegnać — odparł Gabriel i po chwili znaleźli się w podziemnej komnacie czarnego papieża.

— Jezu... Jesteście! Tak się cieszę! — krzyknęła z radością Anna.

— Tatusiu, nic ci nie jest? — spytała Ada, podbiegając do Gabriela i tuląc się do niego.

— Witajcie, moi drodzy — dodał ojciec Marino. — Czy to znaczy, że wszystko się udało i unicestwiliście Szatana?

— Witajcie! Tak. Już nic nie grozi Ziemi. Feniks pokonał Szatana. Ale pamiętajcie, że koniec świata nadejdzie, tyle że nie będzie on już taki jak opisano w Biblii, ponieważ to, co się wydarzyło, zmieniło wszystkie przepowiednie. Dlatego nadejdzie on w swoim czasie i nikt już nie będzie znać ani dnia, ani godziny — odparł Gabriel.

Ojciec Tadeusz i profesor Bauman oraz ksiądz Chose stali, jakby ich zamurowało, ponieważ byli tym wszystkim wręcz zaszokowani, a przez ich głowy przebiegały tysiące przeróżnych myśli.

— Kochany mój... ale czemu wyglądasz z powrotem jak anioł? — spytała Anna.

— Skarbie... Przykro mi, ale ja... zginąłem w walce... I wróciłem do mego Pana. Przyszedłem się z tobą pożegnać...

— Ale dlaczego? Co ja teraz zrobię sama? — rozpaczała Anna, lecz Gabriel podszedł do niej i mocno ją uściskał, szepcząc jej do ucha, że ją kocha i że zawsze będzie przy niej.

Później powoli zaczął znikać.

– Żegnajcie, wszyscy! Nie martwcie się o nic. Wszystko wróciło do normy, a z Komnat Wiedzy i piramid pozostały już tylko ruiny. Jednak Atlantyda nadal jest na powierzchni. Zadbajcie o to, by mądrze wykorzystać jej istnienie... Żegnajcie! – powiedział Gabriel i zniknął.

– Tato... Kocham cię! – krzyknęła jeszcze na koniec Madeleine, wylewając przy tym potok łez.

– Ja ciebie też kocham, tato – dodała Ada i po chwili spojrzała w stronę Mateusza, bo zauważyła, że trochę się zmienił. – Braciszku, a czemu ty nie zniknąłeś razem z tatą? – spytała.

– Nie zniknąłem i nie zniknę, siostrzyczko – odparł Mateusz, uśmiechając się.

– Ale... jak to? – spytała Anna.

– Zaraz wam to wyjaśnię. Nasz Bóg postanowił, że da Mateuszowi drugie życie, ponieważ chciał, by nasza miłość nie była cierpieniem, a tym w istocie byłaby, gdybyśmy znowu musieli się rozstać. Postanowił więc zrobić z Mateuszem to, co niegdyś z tatą. Tak więc, moi drodzy, zapraszamy was na nasz ślub! – odparła uradowana Madeleine.

– Boże! To cudowne! Tak się cieszę, że znowu będę mieć braciszka – powiedziała Ada, rzucając się Mateuszowi i Madeleine na szyję.

Po chwili podeszła do nich Anna i przez dłuższy czas stali tak razem, ciesząc się, że wszystko będzie już dobrze, a reszta przypatrywała się tej boskiej rodzinie, która zbawiła świat. Każdy z tutaj obecnych nie mógł się nadziwić temu, że w XXI wieku zdarzyły się tak niesamowite rzeczy...

— No dobra. Za chwilę stąd wychodzimy, ale pamiętajcie: to, co się tu wydarzyło, pozostaje naszą tajemnicą i nikomu nigdy nie wolno jej wyjawić, ponieważ, jak sami wiecie, może to mieć opłakane skutki! — powiedział ojciec Marino.

— Masz rację, ojcze! — odpowiedzieli wszyscy jeden przez drugiego, zgodnie przysięgając, że nigdy niczego nie wyjawią.

I tak oto dobiegła końca ta niesamowita historia... Oczywiście Madeleine wzięła ślub z Mateuszem, a wszyscy żyli długo i szczęśliwie. **Ale czy aby na pewno?**

THE END

Redakcja: Paweł Pomianek
Korekta: Alicja Maszkowska
Okładka: Marcin Koszyński
Skład: Monika Burakiewicz
Druk i oprawa: Elpil

© Jarosław Zaniewski i Novae Res s.c. 2013

Wszelkie prawa zastrzeżone. Kopiowanie, reprodukcja lub odczyt jakiegokolwiek fragmentu tej książki w środkach masowego przekazu wymaga pisemnej zgody wydawnictwa Novae Res.

Wydanie pierwsze
ISBN 978-83-7722-550-9

NOVAE RES — WYDAWNICTWO INNOWACYJNE
al. Zwycięstwa 96/98, 81-451 Gdynia
tel.: 58 735 11 61, e-mail: dialog@novaeres.pl, http://novaeres.pl

Publikacja dostępna jest w księgarni internetowej zaczytani.pl.

Wydawnictwo Novae Res jest partnerem
Pomorskiego Parku Naukowo-Technologicznego w Gdyni.

P P N T
Pomorski Park Naukowo-Technologiczny